Le Horla

170 bis, boulevard du Montparnasse, 75680 Paris cedex 14

ISBN 978-2-7011-5642-2
ISSN 1958-0541

CLASSICOCOLLÈGE

Le Horla

GUY DE MAUPASSANT

Dossier par Céline Schippers
Certifiée de lettres modernes

BELIN ■ GALLIMARD

Sommaire

Arrêt sur l'œuvre

Groupements de textes

Autour de l'œuvre

1

Le Horla

–

. . . .

8 mai.

Quelle journée admirable ! J'ai passé toute la matinée étendu sur l'herbe, devant ma maison, sous l'énorme Platane qui la couvre l'abrite et l'ombrage tout entière. J'aime ce pays, et j'aime y vivre parce que j'y ai mes racines, ces profondes et délicates racines qui attachent un homme à la terre où sont nés et morts ses aïeux, qui l'attachent à ce qu'on pense et à ce qu'on mange aux usages et aux nourritures, aux locutions locales, aux intonations des paysans, aux odeurs du sol, des villages et de l'air lui même.

J'aime ma maison où j'ai grandi. De mes fenêtres je vois la Seine qui coule le long de mon jardin, derrière la route presque chez moi, la grande et large Seine qui va de Rouen au Havre, couverte de bateaux qui passent. A gauche là bas Rouen la vaste ville aux toits bleus sous le peuple pointu de clochers gothiques. Ils sont innombrables frêles ou larges, dominés par la flèche de fonte de la cathédrale, et pleins de cloches qui sonnent dans l'air bleu des belles matinées, jetant jusqu'à moi leur doux et lointain bourdonnement de fer leur chant d'airain que la brise m'apporte tantôt plus fort et tantôt affaibli, suivant qu'elle s'éveille ou s'assoupit.

Première page du manuscrit du *Horla*, 1887.

Introduction

Publié en 1887 en tête d'un recueil de nouvelles auquel il donne son nom, *Le Horla* est une version d'un texte paru un an plus tôt dans le journal *Gil Blas*. Bien que Maupassant ait rédigé plus de dix contes sur le thème de la folie (notamment *Lettre d'un fou*, en 1885, dont notre œuvre s'inspire directement), *Le Horla* reste l'un de ses récits les plus marquants.

Un narrateur rédige sur quelques mois son journal intime. Il y note les premiers symptômes d'un mal inconnu qui semble l'avoir contaminé. Il étudie l'évolution de sa maladie, raconte ses cauchemars et les phénomènes inexplicables qui se déroulent sous son toit. Ses visions inquiétantes sont-elles le fruit de son imagination énervée ou les manifestations d'un être invisible, qui hante sa maison ? Le doute s'installe... D'une main de maître, Maupassant compose une nouvelle fantastique fascinante.

. . . .

8 mai. – Quelle journée admirable ! J'ai passé toute la matinée étendu sur l'herbe, devant ma maison, sous l'énorme platane qui la couvre, l'abrite et l'ombrage tout entière. J'aime ce pays, et j'aime y vivre parce que j'y ai mes racines, ces profondes et délicates racines, qui attachent un homme à la terre où sont nés et morts ses aïeux, qui l'attachent à ce qu'on pense et à ce qu'on mange, aux usages comme aux nourritures, aux locutions[1] locales, aux intonations des paysans, aux odeurs du sol, des villages et de l'air lui-même.

J'aime ma maison où j'ai grandi. De mes fenêtres, je vois la Seine qui coule, le long de mon jardin, derrière la route, presque chez moi, la grande et large Seine, qui va de Rouen au Havre, couverte de bateaux qui passent.

À gauche, là-bas, Rouen, la vaste ville aux toits bleus, sous le peuple pointu des clochers gothiques. Ils sont innombrables, frêles ou larges, dominés par la flèche de fonte de la cathédrale, et pleins de cloches qui sonnent dans l'air bleu des belles matinées, jetant jusqu'à moi leur doux et lointain bourdonnement de fer, leur chant d'airain[2] que la brise m'apporte, tantôt plus fort et tantôt plus affaibli, suivant qu'elle s'éveille ou s'assoupit.

Comme il faisait bon ce matin !

---

1. **Locutions** : expressions.
2. **Chant d'airain** : son des cloches (l'airain désigne le bronze avec lequel sont faites les cloches).

Vers onze heures, un long convoi de navires, traînés par un remorqueur, gros comme une mouche, et qui râlait de peine en vomissant une fumée épaisse, défila devant ma grille.

25 Après deux goélettes[1] anglaises, dont le pavillon[2] rouge ondoyait sur le ciel, venait un superbe trois-mâts brésilien, tout blanc, admirablement propre et luisant. Je le saluai, je ne sais pourquoi, tant ce navire me fit plaisir à voir.

12 mai. – J'ai un peu de fièvre depuis quelques jours ; je me 30 sens souffrant, ou plutôt je me sens triste.

D'où viennent ces influences mystérieuses qui changent en découragement notre bonheur et notre confiance en détresse ? On dirait que l'air, l'air invisible est plein d'inconnaissables Puissances, dont nous subissons les voisinages mystérieux. Je 35 m'éveille plein de gaieté, avec des envies de chanter dans la gorge. – Pourquoi ? – Je descends le long de l'eau ; et soudain, après une courte promenade, je rentre désolé[3], comme si quelque malheur m'attendait chez moi. – Pourquoi ? – Est-ce un frisson de froid qui, frôlant ma peau, a ébranlé mes nerfs et assombri 40 mon âme ? Est-ce la forme des nuages, ou la couleur du jour, la couleur des choses, si variable, qui, passant par mes yeux, a troublé ma pensée ? Sait-on ? Tout ce qui nous entoure, tout ce que nous voyons sans le regarder, tout ce que nous frôlons sans le connaître, tout ce que nous touchons sans le palper, tout ce que 45 nous rencontrons sans le distinguer, a sur nous, sur nos organes et, par eux, sur nos idées, sur notre cœur lui-même, des effets rapides, surprenants et inexplicables ?

Comme il est profond, ce mystère de l'Invisible ! Nous ne le pouvons sonder[4] avec nos sens misérables, avec nos yeux qui 50 ne savent apercevoir ni le trop petit, ni le trop grand, ni le trop

1. **Goélettes** : voiliers à deux mâts.
2. **Pavillon** : drapeau.
3. **Désolé** : triste.
4. **Sonder** : chercher à connaître, explorer, examiner.

près, ni le trop loin, ni les habitants d'une étoile, ni les habitants d'une goutte d'eau… avec nos oreilles qui nous trompent, car elles nous transmettent les vibrations de l'air en notes sonores. Elles sont des fées qui font ce miracle de changer en bruit ce
55 mouvement et par cette métamorphose donnent naissance à la musique, qui rend chantante l'agitation muette de la nature… avec notre odorat, plus faible que celui du chien… avec notre goût, qui peut à peine discerner l'âge d'un vin !

Ah ! si nous avions d'autres organes qui accompliraient en
60 notre faveur d'autres miracles, que de choses nous pourrions découvrir encore autour de nous !

16 mai. – Je suis malade, décidément ! Je me portais si bien le mois dernier ! J'ai la fièvre, une fièvre atroce, ou plutôt un énervement fiévreux, qui rend mon âme aussi souffrante que
65 mon corps ! J'ai sans cesse cette sensation affreuse d'un danger menaçant, cette appréhension d'un malheur qui vient ou de la mort qui approche, ce pressentiment qui est sans doute l'atteinte d'un mal encore inconnu, germant dans le sang et dans la chair.

70 *18 mai.* – Je viens d'aller consulter mon médecin, car je ne pouvais plus dormir. Il m'a trouvé le pouls rapide, l'œil dilaté, les nerfs vibrants, mais sans aucun symptôme alarmant. Je dois me soumettre aux douches et boire du bromure de potassium[1].

25 mai. – Aucun changement ! Mon état, vraiment, est bizarre.
75 À mesure qu'approche le soir, une inquiétude incompréhensible m'envahit, comme si la nuit cachait pour moi une menace terrible. Je dîne vite, puis j'essaie de lire ; mais je ne comprends pas les

1. Au XIXe siècle, pour soigner les troubles nerveux, on versait plusieurs fois par jour des seaux d'eau sur le patient (douches) et on lui donnait un traitement chimique (bromure de potassium).

mots; je distingue à peine les lettres. Je marche alors dans mon salon de long en large, sous l'oppression d'une crainte confuse
80 et irrésistible, la crainte du sommeil et la crainte du lit.

Vers dix heures, je monte dans ma chambre. À peine entré, je donne deux tours de clef, et je pousse les verrous; j'ai peur... de quoi?... Je ne redoutais rien jusqu'ici... j'ouvre mes armoires, je regarde sous mon lit; j'écoute... j'écoute... quoi?... Est-ce
85 étrange qu'un simple malaise, un trouble de la circulation peut-être, l'irritation d'un filet nerveux, un peu de congestion[1], une toute petite perturbation dans le fonctionnement si imparfait et si délicat de notre machine vivante, puisse faire un mélancolique du plus joyeux des hommes, et un poltron du plus brave?
90 Puis, je me couche, et j'attends le sommeil comme on attendrait le bourreau. Je l'attends avec l'épouvante de sa venue, et mon cœur bat, et mes jambes frémissent; et tout mon corps tressaille dans la chaleur des draps, jusqu'au moment où je tombe tout à coup dans le repos, comme on tomberait pour s'y noyer, dans un
95 gouffre d'eau stagnante. Je ne le sens pas venir, comme autrefois, ce sommeil perfide[2], caché près de moi, qui me guette, qui va me saisir par la tête, me fermer les yeux, m'anéantir.

Je dors – longtemps – deux ou trois heures – puis un rêve – non – un cauchemar m'étreint. Je sens bien que je suis couché et que
100 je dors... je le sens et je le sais... et je sens aussi que quelqu'un s'approche de moi, me regarde, me palpe, monte sur mon lit, s'agenouille sur ma poitrine, me prend le cou entre ses mains et serre... serre... de toute sa force pour m'étrangler.

Moi, je me débats, lié par cette impuissance atroce, qui nous
105 paralyse dans les songes; je veux crier, – je ne peux pas; – je veux remuer, – je ne peux pas; – j'essaie, avec des efforts affreux, en haletant, de me tourner, de rejeter cet être qui m'écrase et qui m'étouffe, – je ne peux pas!

---

1. **Congestion** : accumulation excessive de sang dans le corps.
2. **Perfide** : trompeur, sournois.

Et soudain, je m'éveille, affolé, couvert de sueur. J'allume une
110 bougie. Je suis seul.

Après cette crise, qui se renouvelle toutes les nuits, je dors enfin, avec calme, jusqu'à l'aurore.

2 juin. – Mon état s'est encore aggravé. Qu'ai-je donc ? Le bromure n'y fait rien ; les douches n'y font rien. Tantôt, pour
115 fatiguer mon corps, si las pourtant, j'allai faire un tour dans la forêt de Roumare. Je crus d'abord que l'air frais, léger et doux, plein d'odeur d'herbes et de feuilles, me versait aux veines un sang nouveau, au cœur une énergie nouvelle. Je pris une grande avenue de chasse[1], puis je tournai vers La Bouille[2], par une allée
120 étroite, entre deux armées d'arbres démesurément hauts qui mettaient un toit vert, épais, presque noir, entre le ciel et moi.

Un frisson me saisit soudain, non pas un frisson de froid, mais un étrange frisson d'angoisse.

Je hâtai le pas, inquiet d'être seul dans ce bois, apeuré sans
125 raison, stupidement, par la profonde solitude. Tout à coup, il me sembla que j'étais suivi, qu'on marchait sur mes talons, tout près, à me toucher.

Je me retournai brusquement. J'étais seul. Je ne vis derrière moi que la droite et large allée, vide, haute, redoutablement
130 vide ; et de l'autre côté elle s'étendait aussi à perte de vue, toute pareille, effrayante.

Je fermai les yeux. Pourquoi ? Et je me mis à tourner sur un talon, très vite, comme une toupie. Je faillis tomber ; je rouvris les yeux, les arbres dansaient, la terre flottait ; je dus m'asseoir. Puis,
135 ah ! je ne savais plus par où j'étais venu ! Bizarre idée ! Bizarre ! Bizarre idée ! Je ne savais plus du tout. Je partis par le côté qui se trouvait à ma droite, et je revins dans l'avenue qui m'avait amené au milieu de la forêt.

---

1. **Grande avenue de chasse** : large allée forestière.
2. **La Bouille** : village près de Rouen.

3 juin. – La nuit a été horrible. Je vais m'absenter pendant
140 quelques semaines. Un petit voyage, sans doute, me remettra.

2 juillet. – Je rentre. Je suis guéri. J'ai fait d'ailleurs une excursion charmante. J'ai visité le mont Saint-Michel que je ne connaissais pas.

Quelle vision, quand on arrive, comme moi, à Avranches, vers
145 la fin du jour ! La ville est sur une colline ; et on me conduisit dans le jardin public, au bout de la cité. Je poussai un cri d'étonnement. Une baie démesurée s'étendait devant moi, à perte de vue, entre deux côtes écartées se perdant au loin dans les brumes ; et au milieu de cette immense baie jaune, sous un ciel
150 d'or et de clarté, s'élevait sombre et pointu un mont étrange, au milieu des sables. Le soleil venait de disparaître, et sur l'horizon encore flamboyant se dessinait le profil de ce fantastique rocher qui porte sur son sommet un fantastique monument.

Dès l'aurore, j'allai vers lui. La mer était basse, comme la veille
155 au soir, et je regardais se dresser devant moi, à mesure que j'approchais d'elle, la surprenante abbaye. Après plusieurs heures de marche, j'atteignis l'énorme bloc de pierres qui porte la petite cité dominée par la grande église. Ayant gravi la rue étroite et rapide[1], j'entrai dans la plus admirable demeure gothique
160 construite pour Dieu sur la terre, vaste comme une ville, pleine de salles basses écrasées sous des voûtes et de hautes galeries que soutiennent de frêles[2] colonnes. J'entrai dans ce gigantesque bijou de granit, aussi léger qu'une dentelle, couvert de tours, de sveltes clochetons, où montent des escaliers tordus, et qui
165 lancent dans le ciel bleu des jours, dans le ciel noir des nuits, leurs têtes bizarres hérissées de chimères[3], de diables, de bêtes

1. **Rapide** : très inclinée, pentue.
2. **Frêles** : délicates, fragiles.
3. **Chimères** : dans la mythologie antique, monstres à tête de lion, corps de chèvre et queue de dragon.

fantastiques, de fleurs monstrueuses, et reliés l'un à l'autre par de fines arches ouvragées.

Quand je fus sur le sommet, je dis au moine qui m'accompa-
170 gnait : « Mon Père, comme vous devez être bien ici ! »

Il répondit : « Il y a beaucoup de vent, monsieur » ; et nous nous mîmes à causer en regardant monter la mer, qui courait sur le sable et le couvrait d'une cuirasse d'acier.

Et le moine me conta des histoires, toutes les vieilles histoires
175 de ce lieu, des légendes, toujours des légendes.

Une d'elles me frappa beaucoup. Les gens du pays, ceux du mont, prétendent qu'on entend parler la nuit dans les sables, puis qu'on entend bêler deux chèvres, l'une avec une voix forte, l'autre avec une voix faible. Les incrédules[1] affirment que ce
180 sont les cris des oiseaux de mer, qui ressemblent tantôt à des bêlements, et tantôt à des plaintes humaines ; mais les pêcheurs attardés jurent avoir rencontré, rôdant sur les dunes, entre deux marées, autour de la petite ville jetée ainsi loin du monde, un vieux berger, dont on ne voit jamais la tête couverte de son man-
185 teau, et qui conduit, en marchant devant eux, un bouc à figure d'homme et une chèvre à figure de femme, tous deux avec de longs cheveux blancs et parlant sans cesse, se querellant dans une langue inconnue, puis cessant soudain de crier pour bêler de toute leur force.

190 Je dis au moine : « Y croyez-vous ? »

Il murmura : « Je ne sais pas. »

Je repris : « S'il existait sur la terre d'autres êtres que nous, comment ne les connaîtrions-nous point depuis longtemps ; comment ne les auriez-vous pas vus, vous ? comment ne les
195 aurais-je pas vus, moi ? »

Il répondit : « Est-ce que nous voyons la cent millième partie de ce qui existe ? Tenez, voici le vent, qui est la plus grande force de la nature, qui renverse les hommes, abat les édifices, déracine les

1. **Les incrédules** : ceux qui ne croient pas aux phénomènes surnaturels.

arbres, soulève la mer en montagnes d'eau, détruit les falaises,
200 et jette aux brisants[1] les grands navires, le vent qui tue, qui siffle, qui gémit, qui mugit, – l'avez-vous vu, et pouvez-vous le voir ? Il existe, pourtant. »

Je me tus devant ce simple raisonnement. Cet homme était un sage ou peut-être un sot. Je ne l'aurais pu affirmer au juste ; mais
205 je me tus. Ce qu'il disait là, je l'avais pensé souvent.

1. **Brisants** : rochers à fleur d'eau.

Arrêt sur lecture 1

Un quiz pour commencer

Cochez les bonnes réponses.

❶ *Sous quelle forme la nouvelle se présente-t-elle ?*

- ❒ Un journal intime.
- ❒ Un récit à la troisième personne.
- ❒ Un recueil de lettres.

❷ *Quel spectacle inédit suscite une grande joie au narrateur ?*

- ❒ Des navires déserts remorqués sur la Seine.
- ❒ Un vol d'oiseaux migrateurs.
- ❒ Des marins étrangers à qui il renvoie leur salut.

❸ *D'où le superbe trois-mâts vient-il ?*

- ❒ D'Angleterre.
- ❒ Du Brésil.
- ❒ Du Havre.

❹ *Quel remède est prescrit contre la fièvre du narrateur ?*

- ❒ Des saignées.
- ❒ Une cure thermale.
- ❒ Des douches et du bromure de potassium.

❺ *À quel moment de la journée le narrateur souffre-t-il le plus ?*

- ❒ À l'aurore.
- ❒ À la tombée de la nuit.
- ❒ Dans la journée.

❻ *Que se passe-t-il dans la forêt de Roumare ?*

- ❒ Le narrateur fait une rencontre inattendue.
- ❒ Le narrateur se sent suivi.
- ❒ Le narrateur s'évanouit.

❼ *Qui le narrateur rencontre-t-il au mont Saint-Michel ?*

- ❒ Un berger.
- ❒ Un moine.
- ❒ Un pêcheur.

❽ *Quelle légende le narrateur découvre-t-il lors de ce voyage ?*

- ❒ Deux chèvres à figure humaine rôdent sur les dunes.
- ❒ Des marcheurs disparaissent dans les sables mouvants.
- ❒ Une chimère dévore les paysans et les pêcheurs.

❾ *Combien de temps le voyage du narrateur au mont Saint-Michel dure-t-il ?*

- ❒ Quelques heures.
- ❒ Une semaine.
- ❒ Un mois.

Des questions pour aller plus loin

☛ Découvrir la mise en place d'un récit fantastique

Un cadre réaliste

❶ Relevez le nom des villes mentionnées dans les pages 9 à 14. Dans quelle région se déroule l'action de la nouvelle ?
❷ Où le narrateur se trouve-t-il au tout début de la nouvelle (p. 9) ? Quel lien entretient-il avec cet endroit ?
❸ Relisez la description qui ouvre le récit (p. 9). En vous appuyant sur les types de phrases employés et sur les termes mélioratifs, précisez la tonalité du début du texte.
❹ Montrez comment la forêt de Roumare devient soudainement un lieu inquiétant en décrivant les phénomènes qui s'y produisent.
❺ Lors de son premier voyage (p. 14), quels sentiments et quelles sensations le narrateur éprouve-t-il ?

Le journal intime du narrateur

❻ Quelles sont les caractéristiques de l'écriture du journal intime (marque de personne, emploi des temps, présentation, contenu) ?
❼ Quelles informations avons-nous sur le narrateur ? Selon vous, quels sont ses principaux traits de caractère ?
❽ À qui le narrateur s'adresse-t-il ? Quel est l'effet ainsi produit à la lecture du texte ?
❾ Quels sont les différents mouvements de cette première partie du récit ? Délimitez-les et donnez un titre à chacun d'eux.

Premiers malaises

⓾ Pour retracer les étapes de la maladie du narrateur, recopiez et complétez le tableau suivant :

	Symptômes physiques	Sensations/ sentiments	Lieu fréquenté
12 mai			
16 mai			
2 juin			
2 juillet			

⓫ D'après les observations que vous avez faites à la question 10, quel lieu semble responsable du malaise du narrateur ?
⓬ Dans le récit de la journée du 25 mai, relevez les mots qui appartiennent au champ lexical de l'angoisse.
⓭ En vous appuyant sur des passages précis du texte, montrez comment se manifeste l'angoisse du narrateur lors de son cauchemar (p. 12-13).
⓮ Résumez la légende que le moine raconte au narrateur. En quoi renforce-t-elle l'atmosphère inquiétante du mont Saint-Michel ?

Rappelez-vous !
Le Horla débute comme un récit réaliste, dont le narrateur, auteur du journal intime, assure la crédibilité. Il est ancré dans un cadre précis : une maison familiale en Normandie. La soudaine fièvre du narrateur semble expliquer ses cauchemars et ses crises d'angoisse.

De la lecture à l'écriture

Des mots pour mieux écrire

❶ ***Complétez chacune des phrases suivantes avec les mots qui conviennent et accordez-les ou conjuguez-les correctement:*** frêle, chimère, se quereller, aïeul, poltron.

a. Les deux gentilshommes _________ au sujet d'une dame qu'ils courtisaient.
b. Leur _________ embarcation ne résisterait sûrement pas à la tempête qui s'annonçait.
c. Ma femme a hérité de l'immense fortune de ses _________.
d. « Tu n'es qu'un _________! » lança-t-il à son camarade qui s'enfuyait.
e. Sur les clochers des cathédrales se dressent des _________ faisant office de gargouilles.

❷ **a.** ***Retrouvez les trois emplois de l'adjectif « fantastique » dans la description du mont Saint-Michel (p. 14-15). Précisez leur sens dans ce contexte et proposez un synonyme pour chacun d'eux.***
b. ***Cherchez dans un dictionnaire le sens de ce terme lorsqu'il est employé comme adjectif pour caractériser un récit.***

À vous d'écrire

❶ En vous aidant des indications fournies dans le journal à la date du 18 mai, imaginez la consultation du narrateur chez son médecin.
Consigne. Votre dialogue, d'une vingtaine de lignes, suivra les trois moments d'un rendez-vous médical: l'interrogatoire sur les symptômes, le diagnostic fondé sur l'examen et la prescription médicale. Vous veillerez à respecter les règles de présentation d'un dialogue.

❷ Vous vous perdez dans un labyrinthe.
Consigne. En vous inspirant de l'épisode de la forêt de Roumare, choisissez un lieu dans lequel on peut aisément perdre ses repères et se sentir suivi. Décrivez-le précisément. N'oubliez pas d'évoquer vos sentiments et vos sensations. Votre récit, d'une vingtaine de lignes, sera rédigé à la première personne.

Du texte à l'image

***Le Mont Saint-Michel*, photochrome anonyme, vers 1910.**
➡ **Image reproduite au verso de la couverture, en début d'ouvrage.**

Lire l'image

❶ Décrivez avec précision cette vue du mont Saint-Michel en partant du premier plan jusqu'à l'arrière-plan.
❷ Sur Internet, à l'aide d'un moteur de recherche, cherchez l'étymologie du mot « photochrome » en précisant la signification des deux mots issus du grec « photo » et « chrome ». Selon vous, quel est l'intérêt d'une telle technique?
❸ D'où la photographie est-elle prise ? Pourquoi le photographe a-t-il choisi cet angle de vue ?

Comparer le texte et l'image

❹ Identifiez les deux descriptions du mont Saint-Michel faites par le narrateur. Quels éléments du texte retrouvez-vous dans cette image ?

À vous de créer

❺ Rédigez le verso de cette carte postale en racontant au destinataire de votre choix vos impressions lors de votre découverte du mont Saint-Michel.

❻ Imaginez que le narrateur disparaisse lors de sa visite du mont Saint-Michel. Rédigez un article dans le journal local racontant cet événement. ***Consigne.*** Vous respecterez les règles d'écriture d'un article de journal (titre accrocheur, récit des faits au passé composé et emploi de la troisième personne).

[Suite de la page 16]

3 juillet. – J'ai mal dormi ; certes, il y a ici une influence fiévreuse, car mon cocher souffre du même mal que moi. En rentrant hier, j'avais remarqué sa pâleur singulière. Je lui demandai :

« Qu'est-ce que vous avez, Jean ?

210 – J'ai que je ne peux plus me reposer, monsieur, ce sont mes nuits qui mangent mes jours. Depuis le départ de monsieur, cela me tient comme un sort. »

Les autres domestiques vont bien cependant, mais j'ai grand-peur d'être repris, moi.

215 *4 juillet.* – Décidément, je suis repris. Mes cauchemars anciens reviennent. Cette nuit, j'ai senti quelqu'un accroupi sur moi, et qui, sa bouche sur la mienne, buvait ma vie entre mes lèvres. Oui, il la puisait dans ma gorge, comme aurait fait une sangsue [1]. Puis il s'est levé, repu [2], et moi je me suis réveillé, tellement meurtri,
220 brisé, anéanti, que je ne pouvais plus remuer. Si cela continue encore quelques jours, je repartirai certainement.

5 juillet. – Ai-je perdu la raison ? Ce qui s'est passé, ce que j'ai vu la nuit dernière est tellement étrange, que ma tête s'égare quand j'y songe !

---

1. **Sangsue** : sorte de ver qui suce le sang.
2. **Repu** : rassasié.

225 Comme je le fais maintenant chaque soir, j'avais fermé ma porte à clef; puis, ayant soif, je bus un demi-verre d'eau, et je remarquai par hasard que ma carafe était pleine jusqu'au bouchon de cristal.

Je me couchai ensuite et je tombai dans un de mes sommeils 230 épouvantables, dont je fus tiré au bout de deux heures environ par une secousse plus affreuse encore.

Figurez-vous un homme qui dort, qu'on assassine, et qui se réveille, avec un couteau dans le poumon, et qui râle[1] couvert de sang, et qui ne peut plus respirer, et qui va mourir, et qui ne 235 comprend pas – voilà.

Ayant enfin reconquis ma raison, j'eus soif de nouveau; j'allumai une bougie et j'allai vers la table où était posée ma carafe. Je la soulevai en la penchant sur mon verre; rien ne coula. – Elle était vide! Elle était vide complètement! D'abord, je n'y compris 240 rien; puis, tout à coup, je ressentis une émotion si terrible, que je dus m'asseoir, ou plutôt, que je tombai sur une chaise! puis, je me redressai d'un saut pour regarder autour de moi! puis je me rassis, éperdu[2] d'étonnement et de peur, devant le cristal transparent! Je le contemplais avec des yeux fixes, cherchant à 245 deviner. Mes mains tremblaient! On avait donc bu cette eau? Qui? Moi? moi, sans doute? Ce ne pouvait être que moi? Alors, j'étais somnambule[3], je vivais, sans le savoir, de cette double vie mystérieuse qui fait douter s'il y a deux êtres en nous, ou si un être étranger, inconnaissable et invisible, anime, par moments, 250 quand notre âme est engourdie, notre corps captif qui obéit à cet autre, comme à nous-mêmes, plus qu'à nous-mêmes.

Ah! qui comprendra mon angoisse abominable? Qui comprendra l'émotion d'un homme, sain d'esprit, bien éveillé, plein de raison, et qui regarde épouvanté, à travers le verre d'une carafe,

1. **Râle** : respire bruyamment, agonise.
2. **Éperdu** : désemparé, très troublé.
3. **Somnambule** : qui se livre pendant son sommeil à des actes automatiques comme la marche, la parole.

255 un peu d'eau disparue pendant qu'il a dormi ! Et je restai là jusqu'au jour, sans oser regagner mon lit.

6 juillet. – Je deviens fou. On a encore bu toute ma carafe cette nuit ; – ou plutôt, je l'ai bue !

Mais, est-ce moi ? Est-ce moi ? Qui serait-ce ? Qui ? Oh ! mon 260 Dieu ! Je deviens fou ? Qui me sauvera ?

10 juillet. – Je viens de faire des épreuves[1] surprenantes.

Décidément, je suis fou ! Et pourtant !

Le 6 juillet, avant de me coucher, j'ai placé sur ma table du vin, du lait, de l'eau, du pain et des fraises.

265 On a bu – j'ai bu – toute l'eau, et un peu de lait. On n'a touché ni au vin, ni au pain, ni aux fraises.

Le 7 juillet, j'ai renouvelé la même épreuve, qui a donné le même résultat.

Le 8 juillet, j'ai supprimé l'eau et le lait. On n'a touché à 270 rien.

Le 9 juillet enfin, j'ai remis sur ma table l'eau et le lait seulement, en ayant soin d'envelopper les carafes en des linges de mousseline blanche et de ficeler les bouchons. Puis, j'ai frotté mes lèvres, ma barbe, mes mains avec de la mine de plomb, et 275 je me suis couché.

L'invincible sommeil m'a saisi, suivi bientôt de l'atroce réveil. Je n'avais point remué ; mes draps eux-mêmes ne portaient pas de taches. Je m'élançai vers ma table. Les linges enfermant les bouteilles étaient demeurés immaculés[2]. Je déliai les cordons, 280 en palpitant de crainte. On avait bu toute l'eau ! on avait bu tout le lait ! Ah ! mon Dieu !...

Je vais partir tout à l'heure pour Paris.

---

1. **Épreuves** : expériences.
2. **Immaculés** : sans la moindre tache.

12 juillet. – Paris. J'avais donc perdu la tête les jours derniers ! J'ai dû être le jouet de mon imagination énervée, à moins que je ne
285 sois vraiment somnambule, ou que j'aie subi une de ces influences constatées, mais inexplicables jusqu'ici, qu'on appelle suggestions[1]. En tout cas, mon affolement touchait à la démence, et vingt-quatre heures de Paris ont suffi pour me remettre d'aplomb.

Hier, après des courses et des visites, qui m'ont fait passer
290 dans l'âme de l'air nouveau et vivifiant, j'ai fini ma soirée au Théâtre-Français. On y jouait une pièce d'Alexandre Dumas fils[2] ; et cet esprit alerte et puissant a achevé de me guérir. Certes, la solitude est dangereuse pour les intelligences qui travaillent. Il nous faut autour de nous, des hommes qui pensent et qui
295 parlent. Quand nous sommes seuls longtemps, nous peuplons le vide de fantômes.

Je suis rentré à l'hôtel très gai, par les boulevards. Au coudoiement de la foule, je songeais, non sans ironie, à mes terreurs, à mes suppositions de l'autre semaine, car j'ai cru, oui, j'ai cru
300 qu'un être invisible habitait sous mon toit. Comme notre tête est faible et s'effare, et s'égare vite, dès qu'un petit fait incompréhensible nous frappe !

Au lieu de conclure par ces simples mots : « Je ne comprends pas parce que la cause m'échappe », nous imaginons aussitôt des
305 mystères effrayants et des puissances surnaturelles.

14 juillet. – Fête de la République[3]. Je me suis promené par les rues. Les pétards et les drapeaux m'amusaient comme un enfant. C'est pourtant fort bête d'être joyeux, à date fixe, par décret du gouvernement. Le peuple est un troupeau imbécile,
310 tantôt stupidement patient et tantôt férocement révolté. On lui dit : « Amuse-toi. » Il s'amuse. On lui dit : « Va te battre avec le

1. **Suggestions** : art de faire naître des idées ou des pensées chez une personne en état d'hypnose.
2. **Alexandre Dumas fils** (1824-1895) : écrivain français, ami de Maupassant.
3. **Fête de la République** : le 14 juillet est le jour de la fête nationale depuis 1880.

voisin. » Il va se battre. On lui dit : « Vote pour l'Empereur. » Il vote pour l'Empereur. Puis, on lui dit : « Vote pour la République. » Et il vote pour la République.

315 Ceux qui le dirigent sont aussi sots ; mais, au lieu d'obéir à des hommes, ils obéissent à des principes, lesquels ne peuvent être que niais, stériles et faux, par cela même qu'ils sont des principes, c'est-à-dire des idées réputées certaines et immuables[1], en ce monde où l'on n'est sûr de rien, puisque la lumière est une 320 illusion, puisque le bruit est une illusion.

16 juillet. – J'ai vu hier des choses qui m'ont beaucoup troublé.

Je dînais chez ma cousine, Mme Sablé, dont le mari commande le 76e chasseurs[2] à Limoges. Je me trouvais chez elle avec deux 325 jeunes femmes, dont l'une a épousé un médecin, le docteur Parent, qui s'occupe beaucoup des maladies nerveuses et des manifestations extraordinaires auxquelles donnent lieu en ce moment les expériences sur l'hypnotisme et la suggestion.

Il nous raconta longtemps les résultats prodigieux obtenus par 330 des savants anglais et par les médecins de l'école de Nancy [3].

Les faits qu'il avança me parurent tellement bizarres, que je me déclarai tout à fait incrédule.

« Nous sommes, affirmait-il, sur le point de découvrir un des plus importants secrets de la nature, je veux dire, un de ses plus 335 importants secrets sur cette terre ; car elle en a certes d'autrement importants, là-bas, dans les étoiles. Depuis que l'homme pense, depuis qu'il sait dire et écrire sa pensée, il se sent frôlé par un mystère impénétrable pour ses sens grossiers et imparfaits, et il tâche de suppléer[4], par l'effort de son intelligence, à l'impuissance

---

1. Immuables : qui ne changent pas.
2. 76e chasseurs : corps militaire d'infanterie.
3. École de Nancy : les savants de cette école, fondée en 1866, se consacraient à l'étude de l'hypnose.
4. Suppléer : compenser un manque.

340 de ses organes. Quand cette intelligence demeurait encore à l'état rudimentaire, cette hantise des phénomènes invisibles a pris des formes banalement effrayantes. De là sont nées les croyances populaires au surnaturel, les légendes des esprits rôdeurs, des fées, des gnomes, des revenants, je dirai même la légende
345 de Dieu, car nos conceptions de l'ouvrier-créateur, de quelque religion qu'elles nous viennent, sont bien les inventions les plus médiocres, les plus stupides, les plus inacceptables sorties du cerveau apeuré des créatures. Rien de plus vrai que cette parole de Voltaire : "Dieu a fait l'homme à son image, mais l'homme
350 le lui a bien rendu."

« Mais, depuis un peu plus d'un siècle, on semble pressentir quelque chose de nouveau. Mesmer[1] et quelques autres nous ont mis sur une voie inattendue, et nous sommes arrivés vraiment, depuis quatre ou cinq ans surtout, à des résultats surprenants. »

355 Ma cousine, très incrédule aussi, souriait. Le docteur Parent lui dit : « Voulez-vous que j'essaie de vous endormir, madame ?

– Oui, je veux bien. »

Elle s'assit dans un fauteuil et il commença à la regarder fixement en la fascinant[2]. Moi, je me sentis soudain un peu troublé,
360 le cœur battant, la gorge serrée. Je voyais les yeux de Mme Sablé s'alourdir, sa bouche se crisper, sa poitrine haleter.

Au bout de dix minutes, elle dormait.

« Mettez-vous derrière elle », dit le médecin.

Et je m'assis derrière elle. Il lui plaça entre les mains une
365 carte de visite en lui disant : « Ceci est un miroir ; que voyez-vous dedans ? »

Elle répondit :

« Je vois mon cousin.

– Que fait-il ?

370 – Il se tord la moustache.

---

1. **Franz Mesmer** (1734-1815) : médecin allemand qui travailla sur le magnétisme.
2. **En la fascinant** : en la soumettant à sa volonté par la force de son regard.

– Et maintenant?
– Il tire de sa poche une photographie.
– Quelle est cette photographie?
– La sienne.»

375 C'était vrai! Et cette photographie venait de m'être livrée, le soir même, à l'hôtel.

«Comment est-il sur ce portrait?
– Il se tient debout avec son chapeau à la main.»

Donc elle voyait dans cette carte, dans ce carton blanc, comme 380 elle eût vu dans une glace.

Les jeunes femmes, épouvantées, disaient: «Assez! Assez! Assez!»

Mais le docteur ordonna: «Vous vous lèverez demain à huit heures; puis vous irez trouver à son hôtel votre cousin, et vous le 385 supplierez de vous prêter cinq mille francs que votre mari vous demande et qu'il vous réclamera à son prochain voyage.»

Puis il la réveilla.

En rentrant à l'hôtel, je songeais à cette curieuse séance et des doutes m'assaillirent, non point sur l'absolue, sur l'insoup- 390 çonnable bonne foi de ma cousine, que je connaissais comme une sœur, depuis l'enfance, mais sur une supercherie possible du docteur. Ne dissimulait-il pas dans sa main une glace qu'il montrait à la jeune femme endormie, en même temps que sa carte de visite? Les prestidigitateurs de profession font des choses 395 autrement singulières.

Je rentrai donc et je me couchai.

Or, ce matin, vers huit heures et demie, je fus réveillé par mon valet de chambre, qui me dit:

«C'est Mme Sablé qui demande à parler à monsieur tout de 400 suite.»

Je m'habillai à la hâte et je la reçus.

Elle s'assit fort troublée, les yeux baissés, et, sans lever son voile, elle me dit:

«Mon cher cousin, j'ai un gros service à vous demander.

405 – Lequel, ma cousine ?

– Cela me gêne beaucoup de vous le dire, et pourtant, il le faut. J'ai besoin, absolument besoin, de cinq mille francs,

– Allons donc, vous ?

– Oui, moi, ou plutôt mon mari, qui me charge de les 410 trouver. »

J'étais tellement stupéfait, que je balbutiais mes réponses. Je me demandais si vraiment elle ne s'était pas moquée de moi avec le docteur Parent, si ce n'était pas là une simple farce préparée d'avance et fort bien jouée.

415 Mais, en la regardant avec attention, tous mes doutes se dissipèrent. Elle tremblait d'angoisse, tant cette démarche lui était douloureuse, et je compris qu'elle avait la gorge pleine de sanglots.

Je la savais fort riche et je repris :

420 « Comment ! Votre mari n'a pas cinq mille francs à sa disposition ! Voyons, réfléchissez. Êtes-vous sûre qu'il vous a chargée de me les demander ? »

Elle hésita quelques secondes comme si elle eût fait un grand effort pour chercher dans son souvenir, puis elle répondit :

425 « Oui…, oui… j'en suis sûre.

– Il vous a écrit ? »

Elle hésita encore, réfléchissant. Je devinai le travail torturant de sa pensée. Elle ne savait pas. Elle savait seulement qu'elle devait m'emprunter cinq mille francs pour son mari. Donc elle 430 osa mentir.

« Oui, il m'a écrit.

– Quand donc ? Vous ne m'avez parlé de rien, hier.

– J'ai reçu sa lettre ce matin.

– Pouvez-vous me la montrer ?

435 – Non… non… non… elle contenait des choses intimes… trop personnelles… je l'ai… je l'ai brûlée.

– Alors, c'est que votre mari fait des dettes. »

Elle hésita encore, puis murmura :

«Je ne sais pas.»

440 Je déclarai brusquement:

«C'est que je ne puis disposer de cinq mille francs en ce moment, ma chère cousine.»

Elle poussa une sorte de cri de souffrance.

«Oh! oh! je vous en prie, je vous en prie, trouvez-les…»

445 Elle s'exaltait, joignait les mains comme si elle m'eût prié! J'entendais sa voix changer de ton; elle pleurait et bégayait, harcelée, dominée par l'ordre irrésistible qu'elle avait reçu.

«Oh! oh! je vous en supplie… si vous saviez comme je souffre… il me les faut aujourd'hui.»

450 J'eus pitié d'elle.

«Vous les aurez tantôt[1], je vous le jure.»

Elle s'écria:

«Oh! merci! merci! Que vous êtes bon.»

Je repris: «Vous rappelez-vous ce qui s'est passé hier chez 455 vous?

– Oui.

– Vous rappelez-vous que le docteur Parent vous a endormie?

– Oui.

– Eh bien, il vous a ordonné de venir m'emprunter ce matin 460 cinq mille francs, et vous obéissez en ce moment à cette suggestion.»

Elle réfléchit quelques secondes et répondit:

«Puisque c'est mon mari qui les demande.»

Pendant une heure, j'essayai de la convaincre, mais je n'y pus 465 parvenir.

Quand elle fut partie, je courus chez le docteur. Il allait sortir; et il m'écouta en souriant. Puis il dit:

«Croyez-vous maintenant?

– Oui, il le faut bien.

470 – Allons chez votre parente.»

---

1. **Tantôt** : cet après-midi.

Elle sommeillait déjà sur une chaise longue, accablée de fatigue. Le médecin lui prit le pouls, la regarda quelque temps, une main levée vers ses yeux qu'elle ferma peu à peu sous l'effort insoutenable de cette puissance magnétique.

475 Quand elle fut endormie :

« Votre mari n'a plus besoin de cinq mille francs. Vous allez donc oublier que vous avez prié votre cousin de vous les prêter, et, s'il vous parle de cela, vous ne comprendrez pas. »

Puis il la réveilla. Je tirai de ma poche un portefeuille :

480 « Voici, ma chère cousine, ce que vous m'avez demandé ce matin. »

Elle fut tellement surprise que je n'osai pas insister. J'essayai cependant de ranimer sa mémoire, mais elle nia avec force, crut que je me moquais d'elle, et faillit, à la fin, se fâcher.

. . . .

485 Voilà ! Je viens de rentrer ; et je n'ai pu déjeuner, tant cette expérience m'a bouleversé.

19 juillet. – Beaucoup de personnes à qui j'ai raconté cette aventure se sont moquées de moi. Je ne sais plus que penser. Le sage dit : Peut-être ?

490 *21 juillet.* – J'ai été dîner à Bougival, puis j'ai passé la soirée au bal des canotiers. Décidément, tout dépend des lieux et des milieux. Croire au surnaturel dans l'île de la Grenouillère [1], serait le comble de la folie… mais au sommet du mont Saint-Michel ?… mais dans les Indes ? Nous subissons effroyablement l'influence de ce qui 495 nous entoure. Je rentrerai chez moi la semaine prochaine.

30 juillet. – Je suis revenu dans ma maison depuis hier. Tout va bien.

---

1. **Bougival, île de la Grenouillère** : au XIXe siècle, lieux de divertissement situés en périphérie de Paris, sur les bords de Seine.

Arrêt sur lecture 2

Un quiz pour commencer

Cochez les bonnes réponses.

❶ *Quel cauchemar trouble les nuits du narrateur ?*

- ❒ Il rêve que quelqu'un aspire son souffle.
- ❒ Il rêve qu'il se transforme en vampire.
- ❒ Il rêve que quelqu'un boit son sang.

❷ *Quelle terrifiante découverte le narrateur fait-il à son réveil lorsqu'il souhaite se rafraîchir ?*

- ❒ Sa carafe est tombée.
- ❒ Son verre s'est brisé.
- ❒ L'eau de sa carafe a disparu.

❸ *De quoi la créature semble-t-elle se nourrir ?*

- ❒ D'eau et de lait.
- ❒ De vin et de fraises.
- ❒ D'eau, de lait, de pain, de vin et de fraises.

❹ *Pour échapper à son malaise, où le narrateur se rend-il ?*

- ❒ À Avranches.
- ❒ À Rouen.
- ❒ À Paris.

❺ *Quelle est la spécialité du docteur Parent ?*

- ❒ Les maladies mentales.
- ❒ La syphilis.
- ❒ L'hypnose.

❻ *Qui le médecin prend-il comme cobaye pour sa démonstration ?*

- ❒ Le narrateur.
- ❒ La cousine du narrateur.
- ❒ Une de ses patientes.

❼ *Comment expliquer les résultats surprenants de cette séance ?*

- ❒ Le médecin utilise une supercherie.
- ❒ Le narrateur est victime d'une farce fort bien jouée.
- ❒ Le cobaye obéit inconsciemment à une suggestion.

Des questions pour aller plus loin

☛ Étudier l'invasion progressive du surnaturel et du doute

Manifestations surnaturelles

❶ Relisez le cauchemar du 4 juillet. De quel type de créature surnaturelle le narrateur rêve-t-il ? Relevez une comparaison pour justifier votre réponse.
❷ Résumez en quelques lignes les faits rapportés dans la page de journal du 5 juillet.
❸ Comment comprenez-vous l'utilisation du pronom indéfini « on », l. 245, p. 26 ?
❹ Relevez, dans le récit du 5 juillet, les adjectifs qui expriment la peur grandissante du narrateur.
❺ À partir du 6 juillet, analysez les manifestations du doute dans l'écriture du narrateur (en étudiant l'emploi des pronoms personnels, la ponctuation et les répétitions de termes).
❻ Qu'essaie de prouver le narrateur en menant différentes expériences entre le 6 et le 10 juillet ?

Voyage à Paris

❼ Pour quelle raison le narrateur se rend-il si précipitamment à Paris ? Combien de temps son séjour dans la capitale dure-t-il ?
❽ Page 28, retrouvez les quatre hypothèses que le narrateur formule pour justifier son comportement des jours précédents. Appuyez votre réponse sur quelques citations du texte.
❾ À quelles activités le narrateur s'adonne-t-il lors de son escapade parisienne et qui rencontre-t-il ? Quel est son état d'esprit ?
❿ Selon vous, que se passera-t-il quand le narrateur rentrera chez lui ?

Une séance d'hypnose (p. 30-34)

⓫ Cherchez, dans un dictionnaire, ce qu'est l'hypnose et précisez son sens étymologique.

⓬ Recopiez et complétez le tableau suivant :

Mouvements de l'épisode (lignes)	Titre proposé	Personnages présents	Faits extraordinaires
1. l. ___ à l. ___			
2. l. ___ à l. ___			
3. l. ___ à l. ___			

⓭ Comment sont rapportées les paroles du docteur Parent ? Pour quelle(s) raison(s) le narrateur délègue-t-il pour la première fois la parole ?

⓮ Dans les pages 31 à 33, relevez le champ lexical de la souffrance afin de prouver que la cousine du narrateur ne fait pas semblant d'être hypnotisée. Montrez que le narrateur prend plaisir à la torturer.

⓯ Pourquoi est-ce que cet épisode bouleverse le narrateur ? Quel rapprochement pouvez-vous faire avec son expérience des jours précédents ?

Rappelez-vous !

Le narrateur est témoin de phénomènes étranges (violents cauchemars, disparition de l'eau de sa carafe) qu'il essaie d'expliquer de façon rationnelle. Le lecteur reste dans le doute, et pense que le narrateur sombre dans la folie.

De la lecture à l'écriture

Des mots pour mieux écrire

❶ ***Complétez chacune des phrases suivantes avec les mots qui conviennent et accordez-les ou conjuguez-les si nécessaire:*** faire des expériences, suggestion, râle, somnambule, sangsue.

a. La _________ du médecin met en sommeil la volonté du patient qui obéit inconsciemment aux ordres qu'on lui donne.
b. Dans la médecine ancienne, on pratiquait les saignées au scalpel ou à l'aide de _________ qui aspiraient le sang du malade.
c. Il ne faut jamais réveiller les _________ qui se lèvent dans leur sommeil mais plutôt éviter qu'ils ne se blessent.
d. Le moribond pousse son dernier _________.
e. Pasteur _________ pour tester son vaccin contre la rage.

❷ **a.** ***Expliquez la composition du terme «immuable» en précisant le sens du radical, du préfixe et du suffixe. Déduisez-en le sens de cet adjectif.***
b. ***Cherchez ensuite cinq adjectifs composés avec le même préfixe et le même suffixe. Employez trois d'entre eux dans une phrase qui en éclairera le sens.***

À vous d'écrire

❶ « Voici, ma chère cousine, ce que vous m'avez demandé ce matin... »
Inventez la suite du dialogue entre Mme Sablé et le narrateur en tenant compte de la nouvelle suggestion du docteur Parent.
Consigne. Respectez les indications fournies p. 34 (l. 482-484).

❷ Faites le récit d'un de vos cauchemars mettant en scène un phénomène surnaturel.

Consigne. Inspirez-vous du folklore dont parle Maupassant dans la nouvelle (gnome, revenant, fée, diable) ou bien faites appel à d'autres motifs traditionnels du fantastique : objet qui s'anime, créature monstrueuse... Votre récit, d'une vingtaine de lignes, sera rédigé au passé.

Du texte à l'image

André Brouillet, *Leçon sur l'hystérie donnée par Jean-Martin Charcot*, huile sur toile, 1887.

➡ Image reproduite au verso de la couverture, en fin d'ouvrage.

Lire l'image

❶ Décrivez la scène en analysant sa composition, les couleurs choisies et le sujet traité. Qui sont les personnages représentés ?

❷ Quels détails vous permettent de dire que la scène se déroule dans un hôpital ?

❸ De quoi la patiente semble-t-elle souffrir ?

Comparer le texte et l'image

❹ Identifiez le professeur Jean-Martin Charcot dans le tableau. En quoi sa posture prouve-t-elle qu'il donne une leçon ?

❺ De quelle scène de la nouvelle pourriez-vous rapprocher ce tableau ? Quels points communs et quelles différences notez-vous entre ces deux œuvres, créées la même année ?

À vous de créer

❻ Choisissez l'un des spectateurs de la leçon. Imaginez pour quelle raison il assiste à cette démonstration et inventez trois questions qu'il pourrait poser au professeur.

[Suite de la page 34]

2 août. – Rien de nouveau ; il fait un temps superbe. Je passe mes journées à regarder couler la Seine.

500 *4 août.* – Querelles parmi mes domestiques. Ils prétendent qu'on casse les verres, la nuit, dans les armoires. Le valet de chambre accuse la cuisinière, qui accuse la lingère, qui accuse les deux autres. Quel est le coupable ? Bien fin qui le dirait ?

6 août. – Cette fois, je ne suis pas fou. J'ai vu… j'ai vu… j'ai 505 vu !… Je ne puis plus douter… j'ai vu !… J'ai encore froid jusque dans les ongles… j'ai encore peur jusque dans les moelles… j'ai vu !…

Je me promenais à deux heures, en plein soleil, dans mon parterre de rosiers… dans l'allée des rosiers d'automne qui 510 commencent à fleurir.

Comme je m'arrêtais à regarder un *géant des batailles*[1], qui portait trois fleurs magnifiques, je vis, je vis distinctement, tout près de moi, la tige d'une de ces roses se plier, comme si une main invisible l'eût tordue, puis se casser, comme si cette main l'eût 515 cueillie ! Puis la fleur s'éleva, suivant la courbe qu'aurait décrite un bras en la portant vers une bouche, et elle resta suspendue dans l'air transparent, toute seule, immobile, effrayante tache rouge à trois pas de mes yeux.

---

1. **Géant des batailles** : variété de laurier-rose.

Éperdu, je me jetai sur elle pour la saisir ! Je ne trouvai rien ; 520 elle avait disparu. Alors je fus pris d'une colère furieuse contre moi-même ; car il n'est pas permis à un homme raisonnable et sérieux d'avoir de pareilles hallucinations.

Mais était-ce bien une hallucination ? Je me retournai pour chercher la tige, et je la retrouvai immédiatement sur l'arbuste, 525 fraîchement brisée, entre les deux autres roses demeurées à la branche.

Alors, je rentrai chez moi l'âme bouleversée ; car je suis certain, maintenant, certain comme de l'alternance des jours et des nuits, qu'il existe près de moi un être invisible, qui se nourrit 530 de lait et d'eau, qui peut toucher aux choses, les prendre et les changer de place, doué par conséquent d'une nature matérielle, bien qu'imperceptible pour nos sens, et qui habite comme moi, sous mon toit...

7 août. – J'ai dormi tranquille. Il a bu l'eau de ma carafe, mais 535 n'a point troublé mon sommeil.

Je me demande si je suis fou. En me promenant, tantôt au grand soleil, le long de la rivière, des doutes me sont venus sur ma raison, non point des doutes vagues comme j'en avais jusqu'ici, mais des doutes précis, absolus. J'ai vu des fous ; j'en ai connu 540 qui restaient intelligents, lucides, clairvoyants même sur toutes les choses de la vie, sauf sur un point. Ils parlaient de tout avec clarté, avec souplesse, avec profondeur, et soudain leur pensée, touchant l'écueil[1] de leur folie, s'y déchirait en pièces, s'éparpillait et sombrait dans cet océan effrayant et furieux, plein de vagues 545 bondissantes, de brouillards, de bourrasques, qu'on nomme « la démence ».

Certes, je me croirais fou, absolument fou, si je n'étais conscient, si je ne connaissais parfaitement mon état, si je ne le sondais en l'analysant avec une complète lucidité. Je ne serais donc,

1. **Écueil** : obstacle.

550 en somme, qu'un halluciné raisonnant. Un trouble inconnu se serait produit dans mon cerveau, un de ces troubles qu'essaient de noter et de préciser aujourd'hui les physiologistes[1]; et ce trouble aurait déterminé dans mon esprit, dans l'ordre et la logique de mes idées, une crevasse profonde. Des phénomènes
555 semblables ont lieu dans le rêve qui nous promène à travers les fantasmagories les plus invraisemblables, sans que nous en soyons surpris, parce que l'appareil vérificateur, parce que le sens du contrôle est endormi; tandis que la faculté imaginative veille et travaille. Ne se peut-il pas qu'une des imperceptibles touches du
560 clavier cérébral se trouve paralysée chez moi? Des hommes, à la suite d'accidents, perdent la mémoire des noms propres ou des verbes ou des chiffres, ou seulement des dates. Les localisations de toutes les parcelles de la pensée sont aujourd'hui prouvées. Or, quoi d'étonnant à ce que ma faculté de contrôler l'irréalité
565 de certaines hallucinations, se trouve engourdie chez moi en ce moment!

Je songeais à tout cela en suivant le bord de l'eau. Le soleil couvrait de clarté la rivière, faisait la terre délicieuse, emplissait mon regard d'amour pour la vie, pour les hirondelles, dont l'agi-
570 lité est une joie de mes yeux, pour les herbes de la rive, dont le frémissement est un bonheur de mes oreilles.

Peu à peu, cependant, un malaise inexplicable me pénétrait. Une force, me semblait-il, une force occulte[2] m'engourdissait, m'arrêtait, m'empêchait d'aller plus loin, me rappelait en arrière.
575 J'éprouvais ce besoin douloureux de rentrer qui vous oppresse, quand on a laissé au logis un malade aimé, et que le pressentiment vous saisit d'une aggravation de son mal.

Donc, je revins malgré moi, sûr que j'allais trouver, dans ma maison, une mauvaise nouvelle, une lettre ou une dépêche. Il

1. **Physiologistes** : scientifiques étudiant le fonctionnement des êtres vivants.
2. **Occulte** : cachée.

580 n'y avait rien ; et je demeurai plus surpris et plus inquiet que si j'avais eu de nouveau quelque vision fantastique.

8 août. – J'ai passé hier une affreuse soirée. Il ne se manifeste plus, mais je le sens près de moi, m'épiant, me regardant, me pénétrant, me dominant et plus redoutable, en se cachant ainsi,
585 que s'il signalait par des phénomènes surnaturels sa présence invisible et constante.

J'ai dormi, pourtant.

9 août. – Rien, mais j'ai peur.

10 août. – Rien ; qu'arrivera-t-il demain ?

590 *11 août.* – Toujours rien ; je ne puis plus rester chez moi avec cette crainte et cette pensée entrées en mon âme ; je vais partir.

12 août, 10 heures du soir. – Tout le jour j'ai voulu m'en aller ; je n'ai pas pu. J'ai voulu accomplir cet acte de liberté si facile, si simple, – sortir – monter dans ma voiture pour gagner Rouen –
595 je n'ai pas pu. Pourquoi ?

13 août. – Quand on est atteint par certaines maladies, tous les ressorts de l'être physique semblent brisés, toutes les énergies anéanties, tous les muscles relâchés, les os devenus mous comme la chair et la chair liquide comme de l'eau. J'éprouve cela dans
600 mon être moral d'une façon étrange et désolante. Je n'ai plus aucune force, aucun courage, aucune domination sur moi, aucun pouvoir même de mettre en mouvement ma volonté. Je ne peux plus vouloir ; mais quelqu'un veut pour moi ; et j'obéis.

14 août. – Je suis perdu ! Quelqu'un possède mon âme et la
605 gouverne ! quelqu'un ordonne tous mes actes, tous mes mouvements, toutes mes pensées. Je ne suis plus rien en moi, rien qu'un

spectateur esclave et terrifié de toutes les choses que j'accomplis. Je désire sortir. Je ne peux pas. Il ne veut pas; et je reste, éperdu, tremblant, dans le fauteuil où il me tient assis. Je désire seulement 610 me lever, me soulever, afin de me croire maître de moi. Je ne peux pas! Je suis rivé à mon siège; et mon siège adhère au sol, de telle sorte qu'aucune force ne nous soulèverait.

Puis, tout d'un coup, il faut, il faut, il faut que j'aille au fond de mon jardin cueillir des fraises et les manger. Et j'y vais. Je cueille 615 des fraises et je les mange! Oh! mon Dieu! Mon Dieu! Mon Dieu! Est-il un Dieu? S'il en est un, délivrez-moi, sauvez-moi! secourez-moi! Pardon! Pitié! Grâce! Sauvez-moi! Oh! quelle souffrance! quelle torture! quelle horreur!

15 août. – Certes, voilà comment était possédée et dominée ma 620 pauvre cousine, quand elle est venue m'emprunter cinq mille francs. Elle subissait un vouloir étranger entré en elle, comme une autre âme, comme une autre âme parasite[1] et dominatrice. Est-ce que le monde va finir?

Mais celui qui me gouverne, quel est-il, cet invisible? cet 625 inconnaissable, ce rôdeur d'une race surnaturelle?

Donc les Invisibles existent! Alors, comment depuis l'origine du monde ne se sont-ils pas encore manifestés d'une façon précise comme ils le font pour moi? Je n'ai jamais rien lu qui ressemble à ce qui s'est passé dans ma demeure. Oh! si je pouvais la quitter, 630 si je pouvais m'en aller, fuir et ne pas revenir. Je serais sauvé, mais je ne peux pas.

16 août. – J'ai pu m'échapper aujourd'hui pendant deux heures, comme un prisonnier qui trouve ouverte, par hasard, la porte de son cachot. J'ai senti que j'étais libre tout à coup et qu'il était loin. 635 J'ai ordonné d'atteler bien vite et j'ai gagné Rouen. Oh! quelle joie de pouvoir dire à un homme qui obéit: « Allez à Rouen! »

---

1. **Parasite** : qui se loge à l'intérieur d'un organisme et se nourrit de lui.

Je me suis fait arrêter devant la bibliothèque et j'ai prié qu'on me prêtât le grand traité du docteur Hermann Herestauss[1] sur les habitants inconnus du monde antique et moderne.

640 Puis, au moment de remonter dans mon coupé, j'ai voulu dire: «À la gare!» et j'ai crié, – je n'ai pas dit, j'ai crié – d'une voix si forte que les passants se sont retournés: «À la maison», et je suis tombé, affolé d'angoisse, sur le coussin de ma voiture. Il m'avait retrouvé et repris.

645 *17 août.* – Ah! Quelle nuit! quelle nuit! Et pourtant il me semble que je devrais me réjouir. Jusqu'à une heure du matin, j'ai lu! Hermann Herestauss, docteur en philosophie et en théogonie[2], a écrit l'histoire et les manifestations de tous les êtres invisibles rôdant autour de l'homme ou rêvés par lui. Il décrit 650 leurs origines, leur domaine, leur puissance. Mais aucun d'eux ne ressemble à celui qui me hante. On dirait que l'homme, depuis qu'il pense, a pressenti et redouté un être nouveau, plus fort que lui, son successeur en ce monde, et que, le sentant proche et ne pouvant prévoir la nature de ce maître, il a créé, dans sa 655 terreur, tout le peuple fantastique des êtres occultes, fantômes vagues nés de la peur.

Donc, ayant lu jusqu'à une heure du matin, j'ai été m'asseoir ensuite auprès de ma fenêtre ouverte pour rafraîchir mon front et ma pensée au vent calme de l'obscurité.

660 Il faisait bon, il faisait tiède! Comme j'aurais aimé cette nuit-là autrefois!

Pas de lune. Les étoiles avaient au fond du ciel noir des scintillements frémissants. Qui habite ces mondes? Quelles formes, quels vivants, quels animaux, quelles plantes sont là-bas? Ceux 665 qui pensent dans ces univers lointains, que savent-ils plus que nous? Que peuvent-ils plus que nous? Que voient-ils que nous

1. **Docteur Hermann Herestauss** : nom fictif.
2. **Théogonie** : discipline qui étudie la généalogie des dieux.

ne connaissons point ? Un d'eux, un jour ou l'autre, traversant l'espace, n'apparaîtra-t-il pas sur notre terre pour la conquérir, comme les Normands jadis traversaient la mer pour asservir[1]
670 des peuples plus faibles ?

Nous sommes si infirmes, si désarmés, si ignorants, si petits, nous autres, sur ce grain de boue qui tourne délayé dans une goutte d'eau.

Je m'assoupis en rêvant ainsi au vent frais du soir.

675 Or, ayant dormi environ quarante minutes, je rouvris les yeux sans faire un mouvement, réveillé par je ne sais quelle émotion confuse et bizarre. Je ne vis rien d'abord, puis, tout à coup, il me sembla qu'une page du livre resté ouvert sur ma table venait de tourner toute seule. Aucun souffle d'air n'était entré par ma
680 fenêtre. Je fus surpris et j'attendis. Au bout de quatre minutes environ, je vis, je vis, oui, je vis de mes yeux une autre page se soulever et se rabattre sur la précédente, comme si un doigt l'eût feuilletée. Mon fauteuil était vide, semblait vide ; mais je compris qu'il était là, lui, assis à ma place, et qu'il lisait. D'un
685 bond furieux, d'un bond de bête révoltée, qui va éventrer son dompteur, je traversai ma chambre pour le saisir, pour l'étreindre, pour le tuer !… Mais mon siège, avant que je l'eusse atteint, se renversa comme si on eût fui devant moi… ma table oscilla, ma lampe tomba et s'éteignit, et ma fenêtre se ferma comme
690 si un malfaiteur surpris se fût élancé dans la nuit, en prenant à pleines mains les battants.

Donc, il s'était sauvé ; il avait eu peur, peur de moi, lui !

Alors… alors… demain… ou après… ou un jour quelconque, je pourrai donc le tenir sous mes poings, et l'écraser contre
695 le sol ! Est-ce que les chiens, quelquefois, ne mordent point et n'étranglent pas leurs maîtres ?

---

1. **Asservir** : soumettre.

18 août. – J'ai songé toute la journée. Oh ! oui, je vais lui obéir, suivre ses impulsions, accomplir toutes ses volontés, me faire humble, soumis, lâche. Il est le plus fort. Mais une heure 700 viendra…

19 août. – Je sais… je sais… je sais tout ! Je viens de lire ceci dans la *Revue du Monde scientifique*: « Une nouvelle assez curieuse nous arrive de Rio de Janeiro. Une folie, une épidémie de folie, comparable aux démences contagieuses qui atteignirent les peu- 705 ples d'Europe au Moyen Âge, sévit en ce moment dans la province de San-Paulo. Les habitants éperdus quittent leurs maisons, désertent leurs villages, abandonnent leurs cultures, se disant poursuivis, possédés, gouvernés comme un bétail humain par des êtres invisibles bien que tangibles[1], des sortes de vampires 710 qui se nourrissent de leur vie, pendant leur sommeil, et qui boivent en outre de l'eau et du lait sans paraître toucher à aucun autre aliment.

« M. le professeur Don Pedro Henriquez, accompagné de plusieurs savants médecins, est parti pour la province de San-Paulo, 715 afin d'étudier sur place les origines et les manifestations de cette surprenante folie, et de proposer à l'Empereur les mesures qui lui paraîtront les plus propres à rappeler à la raison ces populations en délire. »

Ah ! Ah ! je me rappelle, je me rappelle le beau trois-mâts 720 brésilien qui passa sous mes fenêtres en remontant la Seine, le 8 mai dernier ! Je le trouvai si joli, si blanc, si gai ! L'Être était dessus, venant de là-bas, où sa race est née ! Et il m'a vu ! Il a vu ma demeure blanche aussi ; et il a sauté du navire sur la rive. Oh ! mon Dieu !

725 À présent, je sais, je devine. Le règne de l'homme est fini.

1. **Tangibles** : qu'on peut toucher.

Il est venu, Celui que redoutaient les premières terreurs des peuples naïfs, Celui qu'exorcisaient[1] les prêtres inquiets, que les sorciers évoquaient par les nuits sombres, sans le voir apparaître encore, à qui les pressentiments des maîtres passagers du monde
730 prêtèrent toutes les formes monstrueuses ou gracieuses des gnomes, des esprits, des génies, des fées, des farfadets. Après les grossières conceptions de l'épouvante primitive, des hommes plus perspicaces l'ont pressenti plus clairement. Mesmer l'avait deviné et les médecins, depuis dix ans déjà, ont découvert, d'une façon précise,
735 la nature de sa puissance avant qu'il l'eût exercée lui-même. Ils ont joué avec cette arme du Seigneur nouveau, la domination d'un mystérieux vouloir sur l'âme humaine, devenue esclave. Ils ont appelé cela magnétisme, hypnotisme, suggestion… que sais-je ? Je les ai vus s'amuser comme des enfants imprudents avec
740 cette horrible puissance ! Malheur à nous ! Malheur à l'homme ! Il est venu, le… le… comment se nomme-t-il… le… il semble qu'il me crie son nom, et je ne l'entends pas… le… oui… il le crie… J'écoute… je ne peux pas… répète… le… Horla… J'ai entendu… le Horla… c'est lui… le Horla… il est venu !…

745 Ah ! le vautour a mangé la colombe ; le loup a mangé le mouton ; le lion a dévoré le buffle aux cornes aiguës ; l'homme a tué le lion avec la flèche, avec le glaive, avec la poudre ; mais le Horla va faire de l'homme ce que nous avons fait du cheval et du bœuf : sa chose, son serviteur et sa nourriture, par la seule
750 puissance de sa volonté. Malheur à nous !

Pourtant, l'animal, quelquefois, se révolte et tue celui qui l'a dompté… moi aussi je veux… je pourrai… mais il faut le connaître, le toucher, le voir ! Les savants disent que l'œil de la bête, différent du nôtre, ne distingue point comme le nôtre… Et mon
755 œil à moi ne peut distinguer le nouveau venu qui m'opprime.

---

1. **Exorcisaient** : délivraient les hommes possédés par des démons à l'aide de formules magiques et de cérémonies.

Pourquoi ? Oh ! je me rappelle à présent les paroles du moine du mont Saint-Michel : « Est-ce que nous voyons la cent millième partie de ce qui existe ? Tenez, voici le vent qui est la plus grande force de la nature, qui renverse les hommes, abat les édifices, 760 déracine les arbres, soulève la mer en montagnes d'eau, détruit les falaises et jette aux brisants les grands navires, le vent qui tue, qui siffle, qui gémit, qui mugit, l'avez-vous vu et pouvez-vous le voir : il existe pourtant ! »

Et je songeais encore : mon œil est si faible, si imparfait, qu'il 765 ne distingue même point les corps durs, s'ils sont transparents comme le verre !... Qu'une glace sans tain[1] barre mon chemin, il me jette dessus comme l'oiseau entré dans une chambre se casse la tête aux vitres. Mille choses en outre le trompent et l'égarent ? Quoi d'étonnant, alors, à ce qu'il ne sache point apercevoir un 770 corps nouveau que la lumière traverse.

Un être nouveau ! pourquoi pas ? Il devait venir assurément ! pourquoi serions-nous les derniers ! Nous ne le distinguons point, ainsi que tous les autres créés avant nous ? C'est que sa nature est plus parfaite, son corps plus fin et plus fini que le nôtre, que le 775 nôtre si faible, si maladroitement conçu, encombré d'organes toujours fatigués, toujours forcés comme des ressorts trop complexes, que le nôtre, qui vit comme une plante et comme une bête, en se nourrissant péniblement d'air, d'herbe et de viande, machine animale en proie aux maladies, aux déformations, aux putréfac- 780 tions[2], poussive, mal réglée, naïve et bizarre, ingénieusement mal faite, œuvre grossière et délicate, ébauche d'être qui pourrait devenir intelligent et superbe.

Nous sommes quelques-uns, si peu sur ce monde, depuis l'huître jusqu'à l'homme. Pourquoi pas un de plus, une fois accomplie 785 la période qui sépare les apparitions successives de toutes les espèces diverses ?

---

1. **Glace sans tain** : glace qui permet de voir sans être vu.
2. **Putréfactions** : décompositions, pourrissements.

Pourquoi pas un de plus ? Pourquoi pas aussi d'autres arbres aux fleurs immenses, éclatantes et parfumant des régions entières ? Pourquoi pas d'autres éléments que le feu, l'air, la terre
790 et l'eau ? – Ils sont quatre, rien que quatre, ces pères nourriciers des êtres ! Quelle pitié ! Pourquoi ne sont-ils pas quarante, quatre cents, quatre mille ! Comme tout est pauvre, mesquin, misérable ! avarement donné, sèchement inventé, lourdement fait ! Ah ! l'éléphant, l'hippopotame, que de grâce ! Le chameau,
795 que d'élégance !

Mais direz-vous, le papillon ! une fleur qui vole ! J'en rêve un qui serait grand comme cent univers, avec des ailes dont je ne puis même exprimer la forme, la beauté, la couleur et le mouvement. Mais je le vois... il va d'étoile en étoile, les rafraîchissant et les
800 embaumant au souffle harmonieux et léger de sa course !... Et les peuples de là-haut le regardent passer, extasiés et ravis !...

....

Qu'ai-je donc ? C'est lui, lui, le Horla, qui me hante, qui me fait penser ces folies ! Il est en moi, il devient mon âme ; je le tuerai !

805 *19 août.* – Je le tuerai. Je l'ai vu ! je me suis assis hier soir, à ma table ; et je fis semblant d'écrire avec une grande attention. Je savais bien qu'il viendrait rôder autour de moi, tout près, si près que je pourrais peut-être le toucher, le saisir ? Et alors !... alors, j'aurais la force des désespérés ; j'aurais mes mains, mes genoux,
810 ma poitrine, mon front, mes dents pour l'étrangler, l'écraser, le mordre, le déchirer.

Et je le guettais avec tous mes organes surexcités.

J'avais allumé mes deux lampes et les huit bougies de ma cheminée, comme si j'eusse pu, dans cette clarté, le découvrir.

815 En face de moi, mon lit, un vieux lit de chêne à colonnes ; à droite, ma cheminée ; à gauche, ma porte fermée avec soin, après l'avoir laissée longtemps ouverte, afin de l'attirer ; derrière moi, une très haute armoire à glace, qui me servait chaque jour pour

me raser, pour m'habiller, et où j'avais coutume de me regarder,
820 de la tête aux pieds, chaque fois que je passais devant.

Donc, je faisais semblant d'écrire, pour le tromper, car il m'épiait lui aussi ; et soudain, je sentis, je fus certain qu'il lisait par-dessus mon épaule, qu'il était là, frôlant mon oreille.

Je me dressai, les mains tendues, en me tournant si vite que je
825 faillis tomber. Et bien ?... on y voyait comme en plein jour, et je ne me vis pas dans ma glace !... Elle était vide, claire, profonde, pleine de lumière ! Mon image n'était pas dedans... et j'étais en face, moi ! Je voyais le grand verre limpide du haut en bas. Et je regardais cela avec des yeux affolés ; et je n'osais plus avan-
830 cer, je n'osais plus faire un mouvement, sentant bien pourtant qu'il était là, mais qu'il m'échapperait encore, lui dont le corps imperceptible avait dévoré mon reflet.

Comme j'eus peur ! Puis voilà que tout à coup je commençai à m'apercevoir dans une brume, au fond du miroir, dans une
835 brume comme à travers une nappe d'eau, et il me semblait que cette eau glissait de gauche à droite, lentement, rendant plus précise mon image, de seconde en seconde. C'était comme la fin d'une éclipse. Ce qui me cachait ne paraissait point posséder de contours nettement arrêtés, mais une sorte de transparence
840 opaque [1], s'éclaircissant peu à peu.

Je pus enfin me distinguer complètement, ainsi que je le fais chaque jour en me regardant.

Je l'avais vu ! L'épouvante m'en est restée, qui me fait encore frissonner.

845 *20 août.* – Le tuer, comment ? puisque je ne peux l'atteindre ? Le poison ? mais il me verrait le mêler à l'eau ; et nos poisons, d'ailleurs, auraient-ils un effet sur son corps imperceptible ? Non... non... sans aucun doute... Alors ?... alors ?...

---

1. **Opaque** : qui ne laisse pas passer la lumière.

21 août. – J'ai fait venir un serrurier de Rouen, et lui ai commandé pour ma chambre des persiennes de fer, comme en ont, à Paris, certains hôtels particuliers, au rez-de-chaussée, par crainte des voleurs. Il me fera, en outre, une porte pareille. Je me suis donné pour un poltron, mais je m'en moque !...

....

10 septembre. – Rouen, hôtel Continental. C'est fait... c'est fait... mais est-il mort ? J'ai l'âme bouleversée de ce que j'ai vu.

Hier donc, le serrurier ayant posé ma persienne et ma porte de fer, j'ai laissé tout ouvert jusqu'à minuit, bien qu'il commençât à faire froid.

Tout à coup, j'ai senti qu'il était là, et une joie, une joie folle m'a saisi. Je me suis levé lentement, et j'ai marché à droite, à gauche, longtemps pour qu'il ne devinât rien ; puis j'ai ôté mes bottines et mis mes savates avec négligence ; puis j'ai fermé ma persienne de fer, et revenant à pas tranquilles vers la porte, j'ai fermé la porte aussi à double tour. Retournant alors vers la fenêtre, je la fixai par un cadenas, dont je mis la clef dans ma poche.

Tout à coup, je compris qu'il s'agitait autour de moi, qu'il avait peur à son tour, qu'il m'ordonnait de lui ouvrir. Je faillis céder ; je ne cédai pas, mais m'adossant à la porte, je l'entrebâillai, tout juste assez pour passer, moi, à reculons ; et comme je suis très grand ma tête touchait au linteau[1]. J'étais sûr qu'il n'avait pu s'échapper et je l'enfermai, tout seul, tout seul. Quelle joie ! Je le tenais ! Alors, je descendis, en courant ; je pris dans mon salon, sous ma chambre, mes deux lampes et je renversai toute l'huile sur le tapis, sur les meubles, partout ; puis j'y mis le feu, et je me sauvai, après avoir bien refermé, à double tour, la grande porte d'entrée.

Et j'allai me cacher au fond de mon jardin, dans un massif de lauriers. Comme ce fut long ! comme ce fut long ! Tout était noir, muet, immobile ; pas un souffle d'air, pas une étoile, des

---

1. **Linteau** : pièce de bois formant la partie supérieure d'une porte.

880 montagnes de nuages qu'on ne voyait point, mais qui pesaient sur mon âme si lourds, si lourds.

Je regardais ma maison, et j'attendais. Comme ce fut long ! Je croyais déjà que le feu s'était éteint tout seul, ou qu'il l'avait éteint, Lui, quand une des fenêtres d'en bas creva sous la pous-
885 sée de l'incendie, et une flamme, une grande flamme rouge et jaune, longue, molle, caressante, monta le long du mur blanc et le baisa jusqu'au toit. Une lueur courut dans les arbres, dans les branches, dans les feuilles, et un frisson, un frisson de peur aussi. Les oiseaux se réveillaient ; un chien se mit à hurler ; il me sembla
890 que le jour se levait ! Deux autres fenêtres éclatèrent aussitôt, et je vis que tout le bas de ma demeure n'était plus qu'un effrayant brasier. Mais un cri, un cri horrible, suraigu, déchirant, un cri de femme passa dans la nuit, et deux mansardes[1] s'ouvrirent ! J'avais oublié mes domestiques ! Je vis leurs faces affolées, et leurs
895 bras qui s'agitaient !...

Alors, éperdu d'horreur, je me mis à courir vers le village en hurlant : « Au secours ! au secours, au feu ! au feu ! » Je rencontrai des gens qui s'en venaient déjà et je retournai avec eux, pour voir !

900 La maison, maintenant, n'était plus qu'un bûcher horrible et magnifique, un bûcher monstrueux, éclairant toute la terre, un bûcher où brûlaient des hommes, et où il brûlait aussi, Lui, Lui, mon prisonnier, l'Être nouveau, le nouveau maître, le Horla !

Soudain le toit tout entier s'engloutit entre les murs, et un
905 volcan de flammes jaillit jusqu'au ciel. Par toutes les fenêtres ouvertes sur la fournaise, je voyais la cuve de feu, et je pensais qu'il était là, dans ce four, mort...

« Mort ? Peut-être ?... Son corps ? son corps que le jour traversait n'était-il pas indestructible par les moyens qui tuent les
910 nôtres ?

1. **Mansardes** : pièces sous le toit où dormaient parfois les domestiques.

« S'il n'était pas mort ?... seul peut-être le temps a prise sur l'Être Invisible et Redoutable. Pourquoi ce corps transparent, ce corps inconnaissable, ce corps d'Esprit, s'il devait craindre, lui aussi, les maux, les blessures, les infirmités, la destruction 915 prématurée ?

« La destruction prématurée ? toute l'épouvante humaine vient d'elle ! Après l'homme, le Horla. – Après celui qui peut mourir tous les jours, à toutes les heures, à toutes les minutes, par tous les accidents, est venu celui qui ne doit mourir qu'à son jour, 920 à son heure, à sa minute, parce qu'il a touché la limite de son existence !

« Non... non... sans aucun doute, sans aucun doute... il n'est pas mort... Alors... alors... il va donc falloir que je me tue, moi !... »

....

Arrêt sur lecture 3

Un quiz pour commencer

Cochez les bonnes réponses.

❶ ***De quel phénomène étrange le narrateur est-il témoin dans son jardin ?***

- ❒ Les roses se fanent en un instant.
- ❒ Une rose se transforme en corbeau.
- ❒ Une main invisible semble cueillir une rose.

❷ ***À quel phénomène surnaturel le narrateur croit-il être confronté ?***

- ❒ Il se croit possédé par une force invisible.
- ❒ Il pense être hanté par un esprit revenu d'entre les morts.
- ❒ Il se croit victime d'un vampire.

❸ ***Où le narrateur se rend-il le 16 août ?***

- ❒ À Paris pour consulter un médecin.
- ❒ À la bibliothèque de Rouen pour emprunter un ouvrage sur les Invisibles.
- ❒ À la cathédrale de Rouen pour implorer la protection de Dieu.

❹ ***Quelle est la réaction du narrateur lorsqu'il voit les pages de son livre tourner toutes seules ?***

- ❒ Il s'enfuit de sa chambre.
- ❒ Il se précipite sur son adversaire invisible.
- ❒ Il s'évanouit.

❺ ***Pourquoi le narrateur ne voit-il pas son reflet dans le miroir ?***

- ❒ Il est devenu invisible.
- ❒ La créature placée devant lui cache son reflet.
- ❒ Il s'est métamorphosé en vampire.

❻ ***Quelle est l'origine du nom « Horla » ?***

- ❒ Le narrateur a ainsi baptisé son adversaire invisible.
- ❒ C'est ainsi qu'Hermann Herestauss désigne certains êtres surnaturels dans son ouvrage.
- ❒ Le Horla a soufflé son nom à l'oreille du narrateur.

❼ ***Comment le narrateur essaie-t-il de se débarrasser du Horla ?***

- ❒ En l'empoisonnant.
- ❒ En incendiant sa maison.
- ❒ En quittant son domicile pour toujours.

❽ ***Où le narrateur se trouve-t-il à la fin de la nouvelle ?***

- ❒ À l'hôtel Continental de Rouen.
- ❒ Dans un hôpital psychiatrique au Havre.
- ❒ Chez le docteur Parent à Paris.

Des questions pour aller plus loin

☛ Analyser le dénouement de la nouvelle

De multiples révélations

❶ Cherchez, dans un dictionnaire, la définition du mot « hallucination ». Dans quelle mesure peut-on dire que les événements relatés le 6 août sont une hallucination du narrateur ?
❷ Quelle est la principale source d'angoisse du narrateur entre le 8 et le 11 août ?
❸ Résumez les événements relatés le 17 août et le 19 août (p. 51-52). Précisez quelles sont les deux interprétations possibles, rationnelle et surnaturelle, que peuvent recevoir ces événements.
❹ Quelle découverte surprenante le narrateur fait-il à la lecture de la *Revue du Monde scientifique* ? Qu'en déduit-il ?
❺ Relevez tous les mots que le narrateur emploie pour désigner la créature fantastique le 15 août et le 19 août (p. 48-49). Quel sens donnez-vous à l'emploi des majuscules ?
❻ Que présage la venue du Horla selon les déclarations du narrateur du 19 août (p. 48-50) ?

Un narrateur possédé

❼ Repérez toutes les tentatives du narrateur pour s'échapper de sa maison. Que constatez-vous ?
❽ Relevez les mots qui appartiennent au champ lexical de la domination dans les pages du journal des 13 et 14 août.
❾ Citez deux passages des pages 46 et 51 où le narrateur comprend qu'il n'est plus maître de lui-même. Quel est l'effet produit ?

Une atmosphère de plus en plus étouffante

⓾ Le narrateur écrit le 7 août être un « halluciné raisonnant » (p. 43). En quoi cette expression est-elle surprenante ? Savez-vous comment s'appelle cette figure de style ?
⓫ Analysez comment l'écriture du journal intime est contaminée par l'angoisse du narrateur dans son récit de la journée du 14 août.
⓬ En quoi le Horla est-il une créature inquiétante ? Appuyez votre réponse sur quelques citations du texte.

Le point de non-retour

⓭ Reconstituez le plan que le narrateur a imaginé pour supprimer le Horla en relisant les pages 52 à 54. Pourquoi ne l'a-t-il pas écrit dans son journal avant son exécution ?
⓮ Dans la scène finale, comment la folie meurtrière du narrateur se manifeste-t-elle ?
⓯ Quels termes le narrateur emploie-t-il pour décrire l'incendie (p. 54) ?
⓰ Quelles sont les conséquences tragiques de l'incendie ? En quoi les dernières lignes de la nouvelle sont-elles particulièrement terrifiantes ?

Rappelez-vous !
Dans les dernières pages du récit, le narrateur assiste à une multiplication des phénomènes étranges qui le plongent dans de terribles angoisses. Il a l'impression qu'il est dominé par une créature invisible, le Horla. La fin de la nouvelle est ouverte et ne permet pas de trancher entre explication rationnelle et explication surnaturelle. Le lecteur reste hanté par le malaise et par le doute.

De la lecture à l'écriture

Des mots pour mieux écrire

❶ ***Complétez les phrases suivantes avec les mots qui conviennent et accordez-les si nécessaire :*** clairvoyant, écueil, occulte, mesquin.

a. La magie noire fait partie des sciences _____________ qui ont des adeptes dans les sociétés secrètes.
b. Ne soyez pas _____________. Faites preuve d'un peu plus de générosité pour une fois !
c. La vie est souvent pleine d'_____________ que vous devrez apprendre à surmonter pour mûrir.
d. Elle devra être _____________ pour distinguer le vrai du faux dans cette enquête.

❷ **a. *Le narrateur emploie souvent l'adjectif « éperdu » pour caractériser son état d'esprit. Cherchez l'étymologie de ce terme et donnez-en deux synonymes.***
b. *Expliquez comment se forme l'adverbe issu de cet adjectif. En quoi est-ce une exception par rapport à la règle habituelle ? Employez-le dans une phrase qui en éclairera le sens.*

À vous d'écrire

❶ Rédigez, en une vingtaine de lignes, la lettre que le narrateur envoie à sa cousine pour lui annoncer son projet : faire disparaître le Horla.
Consigne. Après un bref exposé de sa situation, vous évoquerez les stratégies que le narrateur a envisagées pour tuer le Horla. Vous respecterez les règles de présentation d'une lettre intime.

❷ Le narrateur est condamné pour le meurtre de ses domestiques. Il assure sa propre défense.

Consigne. Le narrateur devra tenter de convaincre les jurés de son innocence voire de les persuader de l'existence du Horla pour justifier son geste. Vous organiserez la plaidoirie à l'aide de connecteurs logiques. Votre texte sera à la première personne.

Du texte à l'image

Johann Heinrich Füssli, *Le Cauchemar*, huile sur toile, 1790.

➡ Image reproduite au verso de la couverture, en fin d'ouvrage.

Lire l'image

❶ Repérez les différents plans du tableau de Füssli et décrivez-les.

❷ Quels éléments représentés dans ce document appartiennent au monde réel ? Quels sont ceux qui appartiennent au monde du rêve ?

❸ En quoi le décor et l'éclairage contribuent-ils à créer une atmosphère fantastique ?

Comparer le texte et l'image

❹ Quels passages de la nouvelle ce tableau pourrait-il illustrer ?

❺ Comparez l'atmosphère fantastique de ce tableau à celle du *Horla*. Selon vous, quelle est la plus effrayante ?

À vous de créer

❻ À votre tour, représentez une scène de cauchemar. Vous pouvez faire un dessin ou un collage.

❼ Füssli a peint d'autres versions de ce tableau. Sur Internet, à l'aide d'un moteur de recherche, choisissez-en une. Quelles différences notez-vous entre les deux versions de l'œuvre ?

Arrêt sur l'œuvre

Des questions sur l'ensemble de la nouvelle

Un narrateur gagné par la folie

❶ Retracez les grandes étapes de l'évolution psychique du narrateur en indiquant pour chacune d'elles sa durée, les lieux fréquentés, les phénomènes étranges auxquels il est confronté et l'état dans lequel il se trouve.

❷ Quels procédés d'écriture donnent l'impression que l'esprit du narrateur se brise en mille morceaux ? Appuyez votre réponse sur quelques citations du texte.

❸ Au cours du récit, le lecteur ne voit les événements qu'à travers le regard du narrateur. Quel est l'effet produit par ce choix d'écriture ?

Le Horla, une étrange créature

❹ En vous appuyant sur des citations du texte, dressez, en une quinzaine de lignes, un portrait du Horla. Concentrez-vous sur son comportement singulier, ses goûts surprenants et sur les autres êtres (surnaturels ou non) auxquels il est comparé.

❺ Pourquoi le narrateur emploie-t-il des figures de style pour décrire le Horla ?
❻ Connaissons-nous l'origine du nom « Horla » ? Que signifie-t-il d'après vous ?
❼ Quel est le sort du Horla à la fin de la nouvelle ? Qu'arrive-t-il au narrateur ?

Une nouvelle sous le signe du double

❽ Dans quelle mesure peut-on dire que le Horla est un double du narrateur (et réciproquement) ?
❾ En quoi *Le Horla* peut-il faire l'objet d'une double lecture, à la fois comme journal d'un fou et comme nouvelle fantastique ?

Des mots pour mieux écrire

Lexique de la peur

Affolé : profondément troublé, sous l'effet d'une émotion violente.
Angoisse : inquiétude intense.
Apeuré : qui manifeste de la crainte.
Appréhension : angoisse, inquiétude.
Crainte : sentiment d'inquiétude, peur.
Effroi : grande frayeur, peur violente et passagère.
Épouvante : terreur soudaine provoquée par un événement inattendu et dangereux.
Inquiétude : anxiété, trouble pénible causé par la crainte d'un danger.
Poltron : qui est très peureux, qui manque de courage.
Redoutable : qui est à craindre, dangereux.
Terreur : peur violente qui paralyse.

Retrouvez les expressions imagées en reliant correctement les groupes de mots de la colonne de gauche à ceux de la colonne de droite :

avoir les dents •		• qui bat la chamade
avoir le souffle •		• qui claquent
avoir le cœur •		• qui se dressent sur la tête
avoir la gorge •		• coupé
avoir les cheveux •		• nouée
avoir les poils •		• froides
avoir des sueurs •		• qui se hérissent

Lexique du fantastique

Bizarre : qui sort de l'ordinaire.
Diable : démon, personnage représentant le mal.
Esprit : être incorporel ou imaginaire (revenant, fantôme, âme d'un mort…).
Étrange : qui surprend l'esprit ou les sens par son caractère inhabituel.
Fantôme : apparition d'un défunt sous l'aspect d'un être réel, revenant.
Gnome : génie nain et difforme qui habite à l'intérieur de la terre.
Hallucination : perception d'objets non réels mais ressentis par le sujet comme existants.
Mystérieux : difficile à comprendre, inconnu.
Occulte : qui est caché et mystérieux.
Possédé : qui est habité et dominé par un être surnaturel et maléfique.
Revenant : âme d'un mort censée revenir de l'autre monde pour se manifester à un vivant sous une forme physique (apparition, esprit, fantôme).
Surnaturel : qui ne relève pas de l'ordre naturel des choses.
Vampire : mi-mort, mi-vivant, cette créature se régénère en buvant le sang de ses victimes.

Mots cachés

Retrouvez dans la grille ci-dessous tous les mots du lexique du fantastique (de gauche à droite, de haut en bas, de biais).

V	T	E	T	R	A	N	G	E	F	A	E	Z	M
A	H	A	U	G	E	B	S	O	A	R	S	S	Y
M	U	C	D	E	N	C	A	A	N	A	P	Z	S
P	E	R	B	F	L	O	T	G	T	Q	R	V	T
I	T	Z	I	V	A	E	M	H	O	W	I	E	E
R	E	B	Z	N	I	T	N	E	M	N	T	N	R
E	D	I	A	B	L	E	E	G	E	R	G	E	I
C	R	M	R	R	U	A	A	L	I	N	O	S	E
U	E	U	R	S	L	R	I	N	D	A	U	U	U
L	A	P	E	C	O	C	C	U	L	T	E	Z	X
S	U	R	N	A	T	U	R	E	L	I	O	N	N
E	R	E	V	E	N	A	N	T	A	F	E	R	Y
H	A	L	L	U	C	I	N	A	T	I	O	N	N
I	T	A	L	P	O	S	S	E	D	E	B	A	T

À vous de créer

❶ *Publier une nouvelle fantastique sur un blog*

Créez un blog pour y publier une nouvelle fantastique qui, comme *Le Horla*, aura la forme d'un journal intime.

Étape 1. Préparation

a. Choisissez un phénomène fantastique: dans votre CDI ou sur la bibliothèque numérique Gallica (gallica.bnf.fr), parcourez des recueils de nouvelles fantastiques (textes de Gautier, Mérimée, Poe, par exemple) pour déterminer le phénomène fantastique qui sera au cœur de votre nouvelle: objet qui s'anime, fantôme, vampire...

b. Déterminez le cadre et le lieu du récit: l'action d'une nouvelle fantastique se passe généralement dans un cadre réaliste. Votre nouvelle pourrait donc se dérouler dans votre région, au XXIe siècle.

c. Bâtissez votre intrigue: établissez les différentes étapes de votre nouvelle. Imaginez une fin ouverte ou une chute qui maintienne le lecteur dans l'hésitation et le laisse sous le choc!

d. Utilisez des outils de langues spécifiques: préparez une liste de modalisateurs signalant les doutes du narrateur, constituez les champs lexicaux de la peur et de l'angoisse.

Étape 2. Mise en forme au brouillon

a. Découpez votre récit par jour (pas plus d'une dizaine) en variant la fréquence et la longueur de vos interventions.

b. Rédigez votre récit à la première personne du singulier.

c. Relisez attentivement votre texte.

Étape 3. Création du blog

a. Ouvrez un blog sur la plateforme de votre choix (lewebpedagogique, weblettres...). Enregistrez son adresse et vos codes d'accès.

b. Publiez vos articles à des dates différentes, en recopiant fidèlement votre brouillon, de manière à donner l'impression que vous vivez réellement ce que vous racontez.

❷ *Mettre en scène un extrait d'une nouvelle*

Transformez la visite de la cousine du narrateur sous hypnose en scène de théâtre. Suivez les étapes proposées ci-dessous. Vous pouvez faire ce travail par groupe de deux.

Étape 1. Réécriture du passage

a. Relisez attentivement l'extrait p. 31-33.

b. En les soulignant de deux couleurs différentes, distinguez les passages narratifs et les dialogues.

c. Écrivez votre scène. Tout d'abord, résumez les passages narratifs et transformez-les en didascalies. Puis, recopiez les dialogues.

Étape 2. Mise en scène

a. Repérez tous les jeux de scène (déplacements, intonations et accessoires) qui pourraient vous aider à interpréter le texte.

b. Répartissez-vous les répliques et mémorisez-les.

c. Entraînez-vous avec votre camarade afin d'incarner les personnages et de donner vie au texte.

Étape 3. Représentation

a. Prévoyez quelques éléments simples de décor (chaises, table...) et une tenue appropriée.

b. Jouez la scène devant vos camarades.

Du texte à l'image

Théodore Géricault, *Portrait de Delacroix*, XIXᵉ siècle.
➡ Image reproduite en couverture.

Lire l'image

❶ Observez le tableau reproduit en couverture. Décrivez avec précision ce portrait.
❷ Quel type de cadrage a été choisi par Géricault ? Quel est l'effet produit ?
❸ En quoi le choix des couleurs donne-t-il une allure mystérieuse au personnage ?

Comparer le texte et l'image

❹ Qu'exprime le regard du jeune homme ? À quelle sensation du narrateur de la nouvelle cela correspond-il ?
❺ En quoi le narrateur de la nouvelle ressemble-t-il à ce personnage ? Appuyez votre réponse sur quelques citations du texte.

À vous de créer

❻ Sur Internet, à l'aide d'un moteur de recherche, renseignez-vous sur le parcours de Géricault et sur son œuvre. Parmi les tableaux de Géricault que vous visionnerez, sélectionnez deux autres portraits et expliquez en quelques lignes les raisons de votre choix.

❼ À vous d'imaginer la couverture d'une édition du *Horla*.
a. Pour vous aider, commencez par observer attentivement la couverture d'une édition du *Horla* du début du XXᵉ siècle et décrivez-la précisément (image reproduite au verso de la couverture, en début d'ouvrage).
b. Sur Internet, à l'aide d'un moteur de recherche, trouvez une image pour illustrer votre couverture (un portrait du narrateur, un phénomène

surnaturel, une maison, un trois-mâts...) Après avoir choisi votre image, mettez en forme votre couverture à l'aide d'un logiciel de traitement de texte. Placez votre image, choisissez une police de caractère pour indiquer le titre et le nom de l'auteur. N'hésitez pas à inventer le nom de la maison d'édition ainsi que celui de la collection.

Groupements de textes

Aux confins de la folie

Ovide, *Les Métamorphoses*

Dans *Les Métamorphoses*, le poète latin Ovide (43 av. J.-C.-17 apr. J.-C.) décrit la naissance du monde gréco-romain et raconte les légendes de la mythologie antique. Pour punir Athamas et son épouse Ino de leur impiété, la déesse Junon se rend aux Enfers et demande de l'aide aux Furies. L'une d'elles, Tisiphone, divinité de la vengeance, fait sombrer le couple dans la folie.

Sans retard, la cruelle Tisiphone saisit une torche toute mouillée de sang, revêt un manteau rougi dans un bain de sang, d'un serpent enroulé se fait une ceinture et sort de sa demeure. Le Deuil accompagne sa marche, avec la Peur, la Terreur et la Démence au visage inquiet. Elle s'était arrêtée sur le seuil. Les portes du fils d'Éole[1] tremblèrent, dit-on, la couleur des vantaux d'érable pâlit, et le Soleil s'enfuit de ces lieux. L'épouse fut terrifiée par ces prodiges, et Athamas fut terrifié avec elle. Ils s'apprêtaient à quitter leur toit; la funeste Erynis leur barra la route et s'installa devant la porte, puis, étirant les bras hors des

---

1. **Fils d'Éole** : Athamas.

nœuds des vipères qui les enlacent, elle secoua en les éparpillant ses cheveux. Agitées, les couleuvres bruirent; les unes sont allongées sur ses épaules, les autres, qui pendent autour de sa poitrine, sifflent, épanchent leur bave, dardent une langue menaçante. Alors, du milieu de sa chevelure, elle arrache deux serpents et une fois arrachés, de sa main qui sème la contagion, les brandit et les lança. Ils vont ramper sur le sein d'Ino et celui d'Athamas, exhalant leur souffle fétide. Ils ne font aux membres nulle blessure; c'est l'esprit des malheureux qui doit ressentir une affreuse commotion. Elle avait apporté avec elle aussi un horrible liquide empoisonné, fait de la bave de la gueule de Cerbère, et du venin d'Echidna, des égarements de la folie, de l'amnésie qui aveugle l'esprit, du crime, des larmes, de la rage, de la soif du meurtre, le tout broyé ensemble, et ce mélange, lié de sang frais, elle l'avait fait cuire dans un récipient de bronze, en l'agitant avec une branche verte de ciguë[1]. Profitant de leur épouvante, dans le sein de ses deux victimes, elle verse ce poison, qui fera naître en elles la fureur, et les bouleversa jusqu'au fond des entrailles. Alors, de sa torche qu'elle brandit, elle décrit coup sur coup un même cercle, où dans le mouvement rapide, la flamme rejoint la flamme. Après quoi, victorieuse et l'ordre exécuté, elle revient au pays des ombres où règne Pluton, et dénoue le serpent qu'elle avait pris pour ceinture.

Aussitôt le fils d'Éole, en proie à la folie, au milieu de son palais s'écrie: « Io! Camarades, tendez vos filets dans ces forêts! Je viens d'y voir, en compagnie de ses deux petits, une lionne! » Et il se lance, comme sur la piste d'une bête féroce, à la poursuite de son épouse, hors de lui. Du sein de sa mère, il arrache Léarchus, qui lui rit et lui tend ses petits bras, deux ou trois fois le fait tournoyer dans les airs, comme une fronde et fracasse férocement contre un rude rocher la face de l'enfant. Alors, de son côté, la mère, égarée, soit sous l'empire de la douleur, soit par l'effet du poison qui l'a envahie, pousse des hurlements et fuit, les cheveux épars, la raison perdue.

Ovide, *Les Métamorphoses* [Ier siècle apr. J.-C.],
trad. du latin par J. Chamonard, GF-Flammarion, 1966.

1. **Ciguë** : poison.

Le Roman de Tristan et Iseut

Tristan et Iseut est un roman d'amour médiéval dont il ne reste que des fragments écrits par deux auteurs: Béroul et Thomas. Tristan, jeune chevalier et neveu du roi Marc, a pour mission d'aller chercher Iseut, future femme du roi. La mère d'Iseut a fabriqué un philtre que les deux époux doivent boire le soir de leurs noces. Mais, sur le bateau du retour, Tristan et Iseut boivent ce filtre par mégarde, ce qui les entraîne dans une passion impossible. Dans ce passage, Tristan feint d'être fou pour pouvoir approcher Iseut sans éveiller les soupçons de la cour.

Alors Tristan tondit sa belle chevelure blonde, au ras de la tête, en y dessinant une croix. Il enduisit sa face d'une liqueur faite d'une herbe magique apportée de son pays, et aussitôt sa couleur et l'aspect de son visage muèrent[1] si étrangement que nul homme au monde n'aurait pu le reconnaître. Il arracha d'une haie une pousse de châtaignier, s'en fit une massue et la pendit à son cou; les pieds nus, il marcha droit vers le château. [...]

Quand il entra dans le bourg, jouant de sa massue, valets et écuyers s'amassèrent sur son passage, le pourchassant comme un loup:

« Voyez le fol! Hu! Hu! Et uh! »

Ils lui lancent des pierres, l'assaillent de leurs bâtons; mais il leur tient tête en gambadant et se laisse faire: si on l'attaque à sa gauche, il se retourne et frappe à sa droite.

Au milieu des rires et des huées, traînant après lui la foule ameutée, il parvint au seuil de la porte où, sous le dais, aux côtés de la reine, le roi Marc était assis. Il approcha de la porte, pendit la massue à son cou et entra.

Le roi le vit et dit:

« Voilà un beau compagnon; faites-le approcher. »

On l'amène, la massue au cou:

« Ami, soyez le bienvenu! »

Tristan répondit, de sa voix étrangement contrefaite:

« Sire, bon et noble entre tous les rois, je le savais, qu'à votre vue mon cœur se fondrait de tendresse. Dieu vous protège, beau sire!

---

1. **Muèrent** : se changèrent.

– Ami, qu'êtes-vous venu quérir céans[1] ?

– Iseut, que j'ai tant aimée. J'ai une sœur que je vous amène, la très belle Brunehaut. La reine vous ennuie, essayez celle-ci : faisons l'échange, je vous donne ma sœur, baillez-moi[2] Iseut ; je la prendrai et vous servirai par amour. »

Le roi s'en rit et dit au fou :

« Si je te donne la reine, qu'en voudras-tu faire ? Où l'emmèneras-tu ?

– Là-haut, entre le ciel et la nue, dans ma belle maison de verre. Le soleil la traverse de ses rayons, les vents ne peuvent l'ébranler ; j'y porterai la reine en une chambre de cristal, toute fleurie de roses, toute lumineuse au matin quand le soleil la frappe. »

Le roi et ses barons se dirent entre eux :

« Voilà un bon fou, habile en paroles ! »

Le Roman de Tristan et Iseut [XIIe siècle], trad. de l'ancien français par J. Bédier, Gallimard, « Folioplus classiques », 2009.

L'Arioste, *Roland furieux*

Durant toute sa vie, Ludivico Ariosto dit l'Arioste (1474-1533) travaille à son chef-d'œuvre : *Roland furieux*. À travers les quarante chants de cette épopée, le poète italien évoque la vie de Roland, ses combats et son amour pour la belle Angélique. Éconduit par la jeune fille qui lui a préféré Médor, un soldat sarrasin, Roland laisse entendre sa souffrance et sa fureur.

Il ne cesse de verser des pleurs, il ne cesse de pousser des cris ; il ne goûte de repos ni la nuit ni le jour ; il fuit les bourgs et les cités, couchant à découvert, en pleine forêt, sur la terre nue. Il s'étonne d'avoir dans la tête une source de larmes si vivace, et qu'il puisse pousser tant de soupirs. Souvent il se dit, à travers ses sanglots :

« Ce ne sont plus des larmes que mes yeux répandent avec tant d'abondance ; les larmes n'auraient pu suffire à ma douleur ; elles

---

1. **Quérir céans** : chercher ici.
2. **Baillez-moi** : remettez-moi.

ont cessé de couler alors que ma peine n'était pas même à la moitié de sa course. Maintenant, chassé par le feu qui me dévore, c'est le principe même de la vie qui s'enfuit et se fraye un chemin à travers mes yeux. C'est là ce que mes yeux répandent ; c'est là ce qui me débarrassera enfin, tout à la fois, de la douleur et de la vie.

Ce ne sont point des soupirs par lesquels s'exhalent mes souffrances ; les soupirs ne sont pas de cette nature ; ils s'arrêtent parfois, et je ne sens pas que la peine s'exhale moins de ma poitrine. Amour, qui me brûle le cœur, produit ce vent, pendant qu'il agite ses ailes autour du feu. Amour, par quel miracle tiens-tu mon cœur dans le feu sans le consumer jamais ?

Et moi, je ne suis, je ne suis pas celui que je parais être. Celui qui était Roland est mort, et la terre le recouvre. Son ingrate dame l'a tué, tellement, dans son manque de foi, elle lui a fait une cruelle guerre. Je suis l'âme de Roland, séparée de son corps, et qui erre dans les tourments de cet enfer, afin que mon ombre lamentable serve d'exemple à quiconque a placé son espérance dans Amour. »

Le comte erre toute la nuit par les bois […]

Il jette pêle-mêle dans ses belles eaux les branches, les troncs, les racines, les fragments de rochers, les mottes de terre, afin de les troubler si profondément, qu'elles ne puissent plus jamais reprendre leur limpidité première. Enfin, harassé de fatigue, couvert de sueur, et le souffle venant à manquer à sa haine, à sa fureur, à sa colère ardente, il tombe sur la prairie et pousse des soupirs vers le ciel.

Brisé de douleur et de fatigue, il tombe enfin sur l'herbe. Ses yeux regardent fixement le ciel ; il ne prononce pas une parole. Sans manger et sans dormir, il voit ainsi le soleil disparaître et reparaître trois fois. Sa peine amère ne fait que s'accroître, jusqu'à ce qu'elle l'ait enfin privé de sa raison.

L'Arioste, *Roland furieux* [1532], trad. de l'italien par F. Reynard, Gallimard, « Folio classique », 2003.

William Shakespeare, *Hamlet*

Dans cette tragédie du dramaturge anglais Shakespeare (1564-1616), Hamlet, héritier du trône du Danemark, cherche à venger la mort de son père. Il pense que c'est son oncle Claudius qui l'a assassiné. Croyant s'en prendre à ce dernier, il tue accidentellement Polonius, conseiller du roi et père de sa bien-aimée Ophélie. La jeune femme sombre alors dans la folie.

LE GENTILHOMME

Elle parle beaucoup de son père, dit qu'elle sait
Que le monde est plein de chausse-trapes[1], et soupire, et se frappe le cœur,
Donne des coups de pied rageurs pour des riens, dit des choses ambiguës
Qui ne portent qu'une moitié de sens. Sa parole n'est rien,
Mais l'usage chaotique qu'elle en fait pousse
Les auditeurs à reconstruire un sens. Ils s'y efforcent,
Et recousent ses mots avec le fil de leurs propres pensées,
Et comme des clins d'œil, des hochements de tête, des gestes les accompagnent,
En vérité ces mots feraient croire qu'on pourrait deviner,
Rien de certain assurément, mais beaucoup de propos malheureux.

HORATIO

Il serait bon qu'on lui parle, car elle pourrait répandre
De dangereuses conjectures[2] dans les esprits malveillants.
Qu'elle entre.

Entre OPHÉLIE.

LA REINE

« À mon âme malade, telle est la vraie nature du péché,
La moindre chose paraît le prologue d'une calamité.
Si pleine de méfiance naïve est la culpabilité
Qu'elle se dévoile par peur d'être dévoilée. »

---

1. **Chausse-trapes** : pièges, embûches.
2. **Conjectures** : suppositions, hypothèses.

OPHÉLIE

Où est la belle Majesté de Danemark ?

LA REINE

Eh bien, Ophélie ?

OPHÉLIE, *chante.*

Comment pourrais-je distinguer
Votre fidèle amour d'un autre ?
À ses sandales, à son bâton,
À la coque de son chapeau.

LA REINE

Hélas ! douce dame, que signifie cette chanson ?

OPHÉLIE

Vous dites ? Non, de grâce, écoutez.
Chanson.

Il est mort, il s'en est allé, madame,
Il est mort, il s'en est allé,
À sa tête est l'herbe verte,
Une pierre est à ses pieds.

Oho !

LA REINE

Voyons, Ophélie…

Shakespeare, *Hamlet* [1602], trad. de l'anglais par J.-M. Desprats,
Gallimard, « Folioplus classiques », 2005.

Mary Shelley, *Frankenstein ou le Prométhée moderne*

En publiant *Frankenstein ou le Prométhée moderne*, la romancière anglaise Mary Shelley (1797-1851) connaît un vif succès. Elle raconte le destin d'un être monstrueux, fruit de la manipulation hasardeuse du scientifique Frankenstein. Dans l'extrait suivant, l'auteur reprend le

mythe du savant fou, et compose un portrait de Frankenstein, dépassé par son horrible projet…

Ces pensées soutenaient mon courage, tandis que je poursuivais mon entreprise avec une ardeur sans défaillance. L'étude avait pâli ma joue, l'absence d'exercice avait amaigri mon corps. Parfois, au bord même de la certitude, je n'aboutissais pas ; et pourtant je n'abandonnais pas un espoir que le jour ou l'heure suivante réaliserait peut-être. L'unique secret que seul je possédais, était l'espoir auquel je m'étais consacré ; et la lune contemplait mes labeurs nocturnes, tandis que, dans la constance et l'essoufflement de l'impatience, je poursuivais la nature jusque dans ses cachettes. Qui concevra les horreurs de mon travail secret, tandis que je tâtonnais, profanant l'humidité des tombes, ou torturais l'animal vivant pour animer l'argile inerte ? Ce souvenir fait aujourd'hui trembler mes membres et trouble mon regard ; mais alors une impulsion irrésistible et presque frénétique me poussait en avant ; toute mon âme, toutes mes sensations ne semblaient plus exister que pour cette seule recherche. Celle-ci n'était plus, à vrai dire, qu'une extase isolée, qui ne faisait que renouveler l'intensité de mes sentiments dès qu'en l'absence de ce stimulant étrange je reprenais mes anciennes habitudes. Je ramassais des ossements dans les charniers[1], et mes doigts profanes[2] troublaient les mystères de l'édifice humain. C'était dans une pièce, ou plutôt dans une cellule solitaire, en haut de la maison, et séparée de tous les autres appartements par une galerie et un escalier, que j'avais établi mon atelier d'immonde création ; mes yeux sortaient de leurs orbites devant les détails de mon œuvre. La salle de dissection et l'abattoir me fournissaient une grande partie de mes matériaux ; et maintes fois mon humanité se détourna avec écœurement de mon œuvre, au moment même où sous l'aiguillon d'une curiosité sans cesse croissante, j'étais sur le point d'aboutir.

Mary Shelley, *Frankenstein* [1818], trad. de l'anglais par G. d'Hangest, GF-Flammarion, 1979.

---

1. **Charnier** : cimetière.
2. **Profanes** : sacrilèges.

Anton Tchekhov, *La Salle n° 6*

Dramaturge russe, Anton Tchekhov (1860-1904) a aussi écrit des nouvelles pour lesquelles il s'inspire souvent de son expérience de médecin. Dans la salle délabrée d'un hôpital sont enfermés cinq patients aliénés, oubliés du monde, que seul un gardien frappe de temps en temps pour les faire tenir tranquilles. Un jeune psychiatre de l'hôpital découvre cet endroit et y fait la connaissance d'Ivan, un fou qui raisonne juste.

Ivan Dmitritch Gromov est un homme d'environ trente-trois ans, d'origine noble, ancien huissier, qui souffre de la manie de la persécution. Tantôt il reste couché sur son lit, en chien de fusil, tantôt il arpente la pièce d'un bout à l'autre, comme pour se donner de l'exercice, mais il reste très rarement assis. Il est toujours agité, exalté et tendu dans l'attente de quelque chose de vague, d'imprécis. Il suffit du moindre bruit dans l'entrée, d'un cri dans la cour pour qu'il relève la tête, tendant l'oreille : n'était-ce pas lui qu'on venait prendre ? N'était-ce pas lui qu'on cherchait ? À ces moments-là, son visage exprime une angoisse, un dégoût extrêmes.

J'aime son large visage aux pommettes saillantes, toujours pâle et malheureux, et qui reflète, comme un miroir, la lutte désespérée et l'angoisse permanente de cette âme. Ses grimaces sont bizarres et douloureuses, mais ses traits fins, marqués par une souffrance profonde et vraie, sont intelligents et sensibles, et ses yeux brillent d'un éclat chaud et sain. Je l'aime bien, lui aussi, toujours si poli, si serviable et si prévenant avec tout le monde, sauf Nikita. Si quelqu'un laisse tomber une cuillère ou un bouton, il saute de son lit pour le ramasser. Tous les matins, il dit bonjour à ses compagnons, et, en se couchant, il leur souhaite la bonne nuit.

Outre sa tension permanente et ses grimaces, sa folie apparaît également de la façon suivante. Quelquefois, le soir, il se serre dans son peignoir et, tremblant de tout son corps, claquant des dents, il se met à arpenter la salle d'un bout à l'autre et entre les lits. On le croirait pris d'une forte fièvre. À sa manière de s'arrêter net, par moments, et de regarder ses compagnons, on voit qu'il a quelque chose de très important à dire, mais, sentant qu'il ne sera pas écouté, ou pas compris, il secoue la tête, agacé, et continue ses allées et venues. Mais bientôt, le besoin de parler l'emporte sur toutes les autres considérations ; il se laisse aller et il parle, il s'anime, il se passionne. Ses propos sont désordonnés, fiévreux comme un délire, entrecoupés et point toujours clairs, mais il y a dans ses paroles et dans sa voix quelque chose d'infiniment beau. Quand il parle, on voit en lui le fou et l'homme. Il est bien difficile de reproduire sur le papier ses discours insensés. Il parle de l'ignominie[1] des hommes, de la violence qui étouffe la liberté, de la vie nouvelle, merveilleuse, qui se lèvera un jour sur terre, des grilles aux fenêtres qui lui rappellent à chaque instant la stupidité et la cruauté de ses bourreaux. C'est comme un pot-pourri désordonné et incohérent de chansons qui ne datent pas d'hier, mais qui n'ont pas encore fini de s'égrener.

Anton Tchekhov, *La Salle n° 6 et autres histoires de fous* [1892], trad. du russe par C. Stoïanov, Librio, 1997.

Unica Zürn, *L'Homme-Jasmin*

Unica Zürn (1916-1970) est une artiste et auteur allemande. En 1953, elle rencontre le peintre Hans Bellmer, qui l'emmène à Paris. Elle y côtoie des artistes surréalistes comme André Breton, Marcel Duchamp ou Man Ray. Son œuvre se compose d'anagrammes, de dessins et de récits. Au cours des huit dernières années de sa vie, Unica Zürn est internée à plusieurs reprises dans des cliniques psychiatriques. Dans *L'Homme-Jasmin*, récit autobiographique à la troisième personne, elle essaie de raconter ses errances et ses délires.

Elle entre dans plusieurs maisons et chaque fois monte au grenier. Certaines portes là-haut sont fermées. Une seule est ouverte. Elle trouve des caisses et des vieux meubles tout le bric-à-brac que les locataires d'une maison entassent au grenier. Elle examine tous les cabinets de débarras. Elle croit à chaque instant qu'elle va rencontrer les personnages du roman, mais elle ne trouve personne et redescend dans la rue.

Et si, pour faire une farce, ils s'étaient cachés dans la cave ? Elle descend un escalier sombre et sale et se trouve devant une

1. **Ignominie** : indignité.

grande chaudière tout allumée. Elle en ouvre la porte et regarde dans le feu. En sanglotant elle jette un mouchoir de papier blanc dans le brasier rouge et s'enfuit dans la rue. Elle se sent alors bien abandonnée. Elle a besoin d'un homme.

Qui donc était celui qui, depuis son arrivée à Berlin, n'a pas cessé de lui faire la belle promesse qu'on allait donner une grande fête? Depuis elle n'a pas perdu l'espoir. Elle passe devant une boîte de nuit vide. Elle y entre. Il n'y a personne d'autre qu'un homme pâle qui empile des chaises sur les tables. Elle aperçoit un téléphone et compose trois fois le 9. Elle appelle le 999 comme si c'était le numéro du Central où se trouve le grand hypnotiseur. Mais le 999 répond par le solennel bruissement du vide, ce bruit qu'on entend quand on porte un coquillage à son oreille. Et l'homme derrière ses chaises la supplie de quitter le bar immédiatement. Elle voit qu'il a peur d'elle. Elle sort dans la rue ne sachant pas où aller. Elle est devenue triste. Sa belle allure ailée l'a abandonnée. Le manque de sommeil et de nourriture l'a affaiblie. Où aller, où aller? Il faut qu'elle se repose quelque part. Elle marche, marche et se retrouve devant la station de Zoologischer Garten. Elle aperçoit dans la gare la porte ouverte d'un salon de coiffure et, sans un sou en poche, elle se fait laver la tête pour se détendre. Et comme toujours c'est une petite fête pour elle. C'est seulement quand elle a les cheveux lavés qu'il lui est encore possible de retrouver dans le miroir son visage d'enfant. Et puis – elle recommence à espérer – peut-être va-t-on célébrer quand même la fête aujourd'hui. Quand on lui réclame six marks et cinquante pfennigs pour le shampooing elle déclare tout tranquillement qu'elle a oublié son argent Mais comme on ne la connaît pas et qu'elle éveille la méfiance, on appelle aussitôt la police. Que fait-elle donc qui pousse les gens à rire? Jamais auparavant elle n'a réussi à faire rire les hommes. Elle pose sur la tête de la patronne en colère un gros morceau de coton hydrophile, la bénit et la proclame « Saint-Esprit. » Puis elle entend un homme, occupé à payer sa note à la caisse, dire à la patronne: « Ne voyez-vous donc pas que cette femme est folle? » Ces mots la font réfléchir pendant un moment et elle se demande si c'est bien vrai.

Unica Zürn, *L'Homme-Jasmin*,
trad. de l'allemand par R. Henry et R. Valançay, Gallimard, 1970.

Écrire la peur

Théophile Gautier, *La Cafetière*

Théophile Gautier (1811-1872) débute sa carrière littéraire par la rédaction de poèmes et d'un premier conte fantastique : *La Cafetière*. Le narrateur passe quelques jours en Normandie avec des amis. Au moment de se coucher, il observe avec attention la décoration de sa chambre qui semble être d'un autre âge.

La mienne était vaste ; je sentis, en y entrant, comme un frisson de fièvre, car il me sembla que j'entrais dans un monde nouveau.

En effet, l'on aurait pu se croire au temps de la Régence, à voir les dessus de porte de Boucher représentant les quatre Saisons, les meubles surchargés d'ornements de rocaille du plus mauvais goût, et les trumeaux[1] des glaces sculptés lourdement.

Rien n'était dérangé. La toilette[2] couverte de boîtes à peignes, de houppes à poudrer[3], paraissait avoir servi la veille. Deux ou trois robes de couleurs changeantes, un éventail semé de paillettes d'argent, jonchaient le parquet bien ciré, et, à mon grand étonnement, une tabatière d'écaille ouverte sur la cheminée était pleine de tabac encore frais.

Je ne remarquai ces choses qu'après que le domestique, déposant son bougeoir sur la table de nuit, m'eut souhaité un bon somme, et, je l'avoue, je commençai à trembler comme la feuille. Je me déshabillai promptement, je me couchai, et, pour en finir avec ces sottes frayeurs, je fermai bientôt les yeux en me tournant du côté de la muraille.

Mais il me fut impossible de rester dans cette position : le lit s'agitait sous moi comme une vague, mes paupières se retiraient violemment en arrière. Force me fut de me retourner et de voir.

Le feu qui flambait jetait des reflets rougeâtres dans l'appartement, de sorte qu'on pouvait sans peine distinguer les

---

1. **Trumeaux** : panneaux de bois sculpté encadrant les glaces.
2. **Toilette** : coiffeuse (meuble de toilette).
3. **Houppes à poudrer** : pinceaux pour se maquiller.

personnages de la tapisserie et les figures des portraits enfumés pendus à la muraille.

C'étaient les aïeux de notre hôte, des chevaliers bardés de fer, des conseillers en perruque, et de belles dames au visage fardé et aux cheveux poudrés à blanc, tenant une rose à la main.

Tout à coup le feu prit un étrange degré d'activité ; une lueur blafarde illumina la chambre, et je vis clairement que ce que j'avais pris pour de vaines peintures était la réalité ; car les prunelles de ces êtres encadrés remuaient, scintillaient d'une façon singulière ; leurs lèvres s'ouvraient et se fermaient comme des lèvres de gens qui parlent, mais je n'entendais rien que le tic-tac de la pendule et le sifflement de la bise d'automne.

Une terreur insurmontable s'empara de moi, mes cheveux se hérissèrent sur mon front, mes dents s'entrechoquèrent à se briser, une sueur froide inonda tout mon corps.

La pendule sonna onze heures. Le vibrement du dernier coup retentit longtemps, et, lorsqu'il fut éteint tout à fait…

Oh ! non, je n'ose pas dire ce qui arriva, personne ne me croirait, et l'on me prendrait pour un fou.

Théophile Gautier, *La Cafetière* [1831] dans *La Morte amoureuse et autres nouvelles fantastiques*, Belin-Gallimard, « Classico », 2018.

Edgar Allan Poe, *Le Chat noir*

Conte fantastique d'Edgar Allan Poe (1809-1849), traduit de l'anglais par le poète Charles Baudelaire, *Le Chat noir* fait partie des classiques de l'épouvante. Le narrateur a pendu son chat. Pour lutter contre sa culpabilité, il recueille un nouveau chat, qui ressemble en tout point au précédent, à l'exception d'une tache blanche sur le poitrail. L'animal lui inspire rapidement une peur grandissante.

Cette terreur n'était pas positivement la terreur d'un mal physique, – et cependant je serais fort en peine de la définir autrement. Je suis presque honteux d'avouer, – oui, même dans cette cellule de malfaiteur, je suis presque honteux d'avouer que la terreur et l'horreur que m'inspirait l'animal avaient été accrues par une des plus parfaites chimères qu'il fût possible de concevoir.

Ma femme avait appelé mon attention plus d'une fois sur le caractère de la tache blanche dont j'ai parlé, et qui constituait l'unique différence visible entre l'étrange bête et celle que j'avais tuée. Le lecteur se rappellera sans doute que cette marque, quoique grande, était primitivement indéfinie dans sa forme ; mais, lentement, par degrés, – par des degrés imperceptibles, et que ma raison s'efforça longtemps de considérer comme imaginaires, – elle avait à la longue pris une rigoureuse netteté de contours. Elle était maintenant l'image d'un objet que je frémis de nommer, – et c'était là surtout ce qui me faisait prendre le monstre en horreur et en dégoût, et m'aurait poussé à m'en délivrer, *si je l'avais osé*; – c'était maintenant, dis-je, l'image d'une hideuse, – d'une sinistre chose, – l'image du GIBET[1] ! – oh ! lugubre et terrible machine ! machine d'Horreur et de Crime, – d'Agonie et de Mort !

Et, maintenant, j'étais en vérité misérable au-delà de la misère possible de l'Humanité. *Une bête brute*, – dont j'avais avec mépris détruit le frère, – une bête brute engendrée pour moi, – pour moi, homme façonné à l'image du Dieu Très Haut, – une si grande et si intolérable infortune ! Hélas ! je ne connaissais plus la béatitude du repos, ni le jour ni la nuit ! Durant le jour, la créature ne me laissait pas seul un moment ; et, pendant la nuit, à chaque instant, quand je sortais de mes rêves pleins d'une intraduisible angoisse, c'était pour sentir la tiède haleine de la *chose* sur mon visage, et son immense poids, – incarnation d'un Cauchemar que j'étais impuissant à secouer, – éternellement posé sur mon *cœur* !

Edgar Allan Poe, *Le Chat noir* [1843] dans *Trois nouvelles extraordinaires*, trad. de l'anglais par Ch. Baudelaire, Belin-Gallimard, « Classico », 2009.

---

1. **Gibet** : potence, échafaud.

Fitz James O' Brien, *Qu'était-ce ?*

L'auteur américain Fitz James O'Brien (1828-1862) rédige la nouvelle *Qu'était-ce ?* en 1859. Par de nombreux aspects, elle entre en écho avec *Le Horla* même si Maupassant ne l'a sans doute pas lue. Partant du motif classique de la maison hantée, l'auteur propose rapidement une approche novatrice de la créature fantastique : invisible mais pas impalpable, elle attaque le narrateur à la gorge. Celui-ci parvient néanmoins à prendre le dessus sur le monstre.

Au bout de quelques secondes, les mains osseuses qui s'étaient refermées sur mon cou desserrèrent leur étreinte, et je fus à nouveau libre de respirer. Alors commença une lutte atroce. Plongé dans les ténèbres les plus profondes, totalement ignorant de la nature de la chose qui m'avait assailli si soudainement, sentant mon adversaire me glisser entre les mains (sans doute, me sembla-t-il, en raison de sa totale nudité), je fus mordu à l'épaule, au cou et à la poitrine par des dents aiguës, et je dus à chaque instant protéger ma gorge contre deux mains agiles et musclées que je ne pouvais arriver à emprisonner malgré tous mes efforts.

Finalement, au terme d'un combat silencieux, implacable, épuisant, je terrassai mon adversaire grâce à une série d'efforts incroyables. Une fois que je l'eus immobilisé en appuyant mon genou sur ce que j'estimais être sa poitrine, je compris que j'étais vainqueur. Je me reposai un instant pour reprendre haleine. Je pouvais entendre la créature que je maintenais sous moi haleter dans les ténèbres, je pouvais percevoir les violentes palpitations de son cœur. Il semblait qu'elle fût aussi épuisée que moi-même, ce qui était un grand réconfort. À ce moment, je me rappelai que je glissais d'habitude, avant d'aller me coucher, un grand mouchoir de soie jaune sous mon oreiller. Je le cherchai à tâtons ; il était bien à sa place. En quelques secondes, j'eus lié tant bien que mal les bras de cet être mystérieux.

Je me sentais maintenant passablement en sécurité. Il ne me restait plus qu'à ouvrir le gaz et à réveiller toute la maisonnée, après avoir vu à quoi ressemblait mon agresseur nocturne.

Prenant bien soin de ne jamais lâcher prise, je me laissai glisser du lit sur le plancher en traînant mon captif derrière moi. Je n'avais que quelques pas à faire pour atteindre le bec de gaz ;

j'avançai avec la plus grande prudence, tenant la créature comme dans un étau. Finalement, j'arrivai tout près du minuscule point de lumière bleue qui m'indiquait l'emplacement du bec de gaz. Rapide comme l'éclair, je lâchai prise d'une main, et j'ouvris le robinet tout grand. Puis je me retournai pour regarder mon prisonnier.

Je ne puis même pas essayer de définir les sensations que j'éprouvai après avoir donné la lumière. Je suppose que je dus hurler de terreur, car, moins d'une minute après, tous les locataires de la maison se pressaient dans ma chambre. Encore aujourd'hui, je frissonne en pensant à cet effroyable moment: *je ne voyais rien*! Oui, j'étreignais vigoureusement d'un de mes bras une forme qui respirait et haletait, j'agrippais de l'autre main une gorge de chair aussi chaude que la mienne; cependant, j'avais beau tenir contre moi cette substance vivante, serrer ce corps contre mon corps, et cela sous l'éclatante lumière du gaz, je ne voyais absolument rien! Pas même un contour, pas même une vapeur!

La Chose respirait. Je sentais sur ma joue la chaleur de son souffle. Elle se débattait farouchement. Elle avait des mains qui s'accrochaient à moi. Sa peau était lisse comme la mienne. Cet être se trouvait là, pressé tout contre moi, solide comme un bloc de pierre, et pourtant complètement invisible!

Fitz James O' Brien, *Qu'était-ce ?* [1859], trad. de l'anglais par J. Papy dans *Les Chefs-d'œuvre de l'épouvante*, Planète, 1965.

Guy de Maupassant, *La Peur*

Le thème de la peur domine tellement cette nouvelle de Maupassant (1850-1893) qu'elle vole la vedette aux personnages principaux. Au cours d'une partie de chasse, le narrateur fait halte pour la nuit dans la famille d'un garde forestier qui a tué un braconnier deux ans plus tôt. Hanté par son crime, le vieil homme s'attend à recevoir la visite du fantôme de sa victime. Alors que la tempête gronde dehors, le chien du braconnier se met à aboyer…

Malgré moi, un grand frisson me courut entre les épaules. Cette vision de l'animal dans ce lieu, à cette heure, au milieu de ces gens éperdus, était effrayante à voir.

Alors, pendant une heure, le chien hurla sans bouger ; il hurla comme dans l'angoisse d'un rêve ; et la peur, l'épouvantable peur entrait en moi ; la peur de quoi ? Le sais-je ? C'était la peur, voilà tout.

Nous restions immobiles, livides, dans l'attente d'un événement affreux, l'oreille tendue, le cœur battant, bouleversés au moindre bruit. Et le chien se mit à tourner autour de la pièce, en sentant les murs et gémissant toujours. Cette bête nous rendait fous ! Alors, le paysan qui m'avait amené, se jeta sur elle, dans une sorte de paroxysme de terreur furieuse, et, ouvrant une porte donnant sur une petite cour, jeta l'animal dehors.

Il se tut aussitôt ; et nous restâmes plongés dans un silence plus terrifiant encore. Et soudain, tous ensemble, nous eûmes une sorte de sursaut : un être glissait contre le mur du dehors vers la forêt ; puis il passa contre la porte, qu'il sembla tâter, d'une main hésitante ; puis on n'entendit plus rien pendant deux minutes qui firent de nous des insensés ; puis il revint, frôlant toujours la muraille ; et il gratta légèrement, comme ferait un enfant avec son ongle ; puis soudain une tête apparut contre la vitre du judas[1], une tête blanche avec des yeux lumineux comme ceux des fauves. Et un son sortit de sa bouche, un son indistinct, un murmure plaintif.

Alors un bruit formidable éclata dans la cuisine. Le vieux garde avait tiré. Et aussitôt les fils se précipitèrent, bouchèrent le judas en dressant la grande table qu'ils assujettirent avec le buffet.

Et je vous jure qu'au fracas du coup de fusil que je n'attendais point, j'eus une telle angoisse du cœur, de l'âme et du corps, que je me sentis défaillir, prêt à mourir de peur.

Nous restâmes là jusqu'à l'aurore, incapables de bouger, de dire un mot, crispés dans un affolement indicible.

Guy de Maupassant, *La Peur* [1882] dans *Le Horla et autres contes fantastiques*, GF-Flammarion, « Étonnants classiques », 1995.

---

1. **Judas** : petite ouverture sur une porte pour voir sans être vu.

H. G. Wells, *La Chambre rouge*

Auteur de romans de science-fiction, l'écrivain anglais H.G. Wells (1866-1946) s'est aussi illustré dans la littérature fantastique. Bravant les recommandations de trois étranges vieillards, un jeune homme décide de passer la nuit dans la chambre rouge où d'autres avant lui ont connu une fin tragique. Allumant des bougies qui s'éteignent mystérieusement, il se laisse gagner par l'angoisse avant de tomber inconscient. À son réveil, il reconnaît que la chambre est hantée.

Ce fut très lentement que je recouvrai la mémoire de ma veillée.

« Et maintenant, dit le vieux, vous croirez que la chambre est hantée ? »

Il ne me parlait plus sur le ton de quelqu'un qui accueille un intrus, mais comme quelqu'un qui s'afflige pour un ami dans la peine.

« Oui, répondis-je, la chambre est hantée !

– Et vous l'avez-vu ?... Et nous qui avons passé ici toute notre existence, nos yeux ne l'ont jamais vu... Parce que nous n'avons jamais osé... Dites-nous si c'est vraiment le vieux duc qui...

– Non, dis-je, ce n'est pas lui...

– Je le savais bien, interrompit la vieille, son verre à la main. C'est sa pauvre jeune femme qui avait eu peur...

– Ce n'est pas elle, dis-je ; il n'y a ni fantôme de duc, ni fantôme de duchesse dans cette chambre, elle n'est hantée par aucun revenant, mais par quelque chose de pire... De bien pire !...

– Quoi ? firent-ils.

– La pire de toutes les choses qui hantent le pauvre mortel, répondis-je, et c'est, dans toute sa simplicité, la Peur ! La Peur qui ne veut ni lumière ni bruit, qui n'a rien à faire avec la raison, qui rend sourd et aveugle et écrase... Elle m'avait suivi dans le corridor, elle s'est battue contre moi dans la chambre... »

Je me tus. Il y eut un intervalle de silence. Je portai la main aux bandages de ma tête.

Alors l'homme à l'abat-jour poussa un soupir et parla.

« C'est cela, fit-il, je savais que c'était cela, la Puissance des Ténèbres. Jeter une pareille malédiction sur une femme ! Elle demeure là, toujours ! Vous pouvez la sentir même pendant le jour, même par les plus beaux jours d'été, dans les tentures, dans les rideaux, se cachant derrière vous, de quelque côté que vous vous tourniez. Quand le soir tombe, elle se glisse au long du corridor pour vous suivre et vous n'osez pas vous retourner. C'est la Peur qui habite cette chambre de femme… La Peur noire!.. Et elle y restera tant que durera cette maison de malheur!… »

H. G. Wells, *La Chambre rouge* [1896] dans *Les Chefs-d'œuvre de l'épouvante*, trad. de l'anglais par Henry D. Davray, Planète, 1965.

H. P. Lovecraft, *Je suis d'ailleurs*

Écrivain américain, maître de la science-fiction et de l'horreur, H. P. Lovecraft (1890-1937) se concentre exclusivement sur les émotions de son personnage-narrateur dans *Je suis d'ailleurs*. L'intrigue de cette nouvelle est en effet très resserrée: un mystérieux personnage-narrateur, désespérément seul et perdu, tente d'entrer en contact avec ses semblables. En vain. À chaque fois, l'effroi les saisit sans qu'il ne comprenne pourquoi.

Je pénétrai par cette porte dans la pièce brillamment illuminée, et, ce faisant, passai au même moment, de l'espoir le plus heureux aux convulsions du désespoir le plus noir, à la prise de conscience la plus poignante. Le cauchemar s'empara immédiatement de moi; dès que j'entrai, j'assistai à l'une des manifestations les plus terrifiantes qu'il m'ait jamais été donné de voir. À peine avais-je passé le seuil que s'abattit sur toute l'assemblée une terreur brutale, que n'accompagna pas le moindre signe avant-coureur, mais d'une intensité impensable, déformant chaque tête, tirant de chaque gorge ou presque les hurlements les plus horribles. Tout le monde s'enfuit aussitôt, et dans les cris et la panique, plusieurs personnes tombées en convulsions furent emportées loin de là par leurs compagnons affolés. J'en vis même plusieurs se cacher les yeux de leurs mains et courir de la sorte, aveugles et inconscients, se cognant aux murs, aux meubles, avant de disparaître par l'une des nombreuses portes de la salle.

Ces cris me glacèrent; et je restai un moment comme paralysé dans la clarté éblouissante de cet endroit, seul, incrédule, gardant à l'oreille l'écho lointain de l'envol des convives terrifiés, et je tremblai à la pensée de ce qui devait rôder à côté de moi, invisible. Au premier coup d'œil rapide que je jetai, la pièce me parut déserte, mais en m'approchant de l'une des alcôves, j'eus l'impression d'y deviner une sorte de présence, l'ombre d'un mouvement derrière le cadre doré d'une porte ouverte qui menait à une autre pièce assez semblable à celle dans laquelle je me trouvais. M'approchant de cette arche, je perçus plus nettement cette présence, et finalement, tandis que je poussais mon premier et dernier cri – une ululation spectrale qui me crispa presque autant que la chose horrible qui me la fit pousser – j'aperçus, en pied, effrayante, vivante, l'inconcevable, l'indescriptible, l'innommable monstruosité qui, par sa simple apparition, avait pu transformer une compagnie heureuse en une troupe craintive et terrorisée.

Je ne peux même pas donner l'ombre d'une idée de ce à quoi ressemblait cette chose, car elle était une combinaison horrible de tout ce qui est douteux, inquiétant, importun[1], anormal et détestable sur cette terre. C'était le reflet vampirique de la pourriture, des temps disparus et de la désolation; le phantasme, putride et gras d'égouttures[2], d'une révélation pernicieuse[3] dont la terre pitoyable aurait dû pour toujours masquer l'apparence nue. Dieu sait que cette chose n'était pas de ce monde – ou n'était plus de ce monde – et pourtant au sein de mon effroi, je pus reconnaître dans sa matière rongée, rognée, où transparaissaient des os, comme un grotesque et ricanant travesti de la forme humaine. Il y avait, dans cet appareil pourrissant et décomposé, une sorte de qualité innommable qui me glaça encore plus.

J'étais presque figé, mais non incapable d'effectuer un effort pour m'enfuir. Je titubai en arrière, sans pour autant parvenir à rompre le charme sous lequel me tenait ce monstre sans voix et sans nom.

H. P. Lovecraft, *Je suis d'ailleurs* [1926], trad. de l'américain par Y. Rivière, Gallimard, « Folio SF », 2001.

1. **Importun** : intolérable.
2. **D'égouttures** : liquide qui s'égoutte.
3. **Pernicieuse** : dangereuse, nocive.

Autour de l'œuvre

Interview imaginaire de Guy de Maupassant

Pouvez-vous nous parler de votre enfance et de votre jeunesse ?

Je suis né au château de Miromesnil, près de Dieppe, le 5 août 1850. Durant mon enfance, j'habite à Fécamp, Étretat et Paris. À la suite du divorce de mes parents, nous nous installons avec ma mère à Étretat. Après les leçons, je me promène sur les plages et je joue avec les enfants du pays dont je parle le patois. Lors de ces après-midi, j'explore aussi la campagne normande. Pendant mes années de pension à Yvetot, je ne retrouve mes falaises que l'été. C'est la guerre de 1870, qui me ramène dans mon pays alors que je viens de m'inscrire à la faculté de droit de Paris après mon succès au baccalauréat.

Guy de Maupassant (1850-1893)

⏭ *Qui a été à l'origine de votre vocation littéraire ?*

Grâce au poète Louis Bouilhet, que je côtoie pendant mon année au lycée de Rouen et qui encourage mes premiers vers, je rencontre Gustave Flaubert, ami de longue date de ma mère. Il me permet d'entrer au ministère de la Marine, puis au ministère de l'Instruction publique pour gagner ma vie.

Mais la vie de bureau m'ennuie... Je commence à écrire et je soumets à Flaubert mes premiers textes, poèmes et contes. Il joue un rôle décisif dans ma formation littéraire, me dispensant ses enseignements affectueux et ses critiques sévères. Il me donne parfois des exercices qui peuvent sembler un peu incongrus : je dois, par exemple, observer mon concierge avec attention pour réussir à le peindre le plus fidèlement possible ! Pendant dix ans, je m'applique au travail, trouvant dans le canotage et la fréquentation des guinguettes des bords de Seine des objets de distraction. Mon maître ne manque d'ailleurs pas de me rappeler à l'ordre lorsque mes parties de plaisir empiètent trop sur mon travail. Il a le temps de goûter mon premier succès littéraire à la publication de *Boule de suif*, nouvelle réaliste sur la guerre de 1870.

⏭ *Avez-vous réussi à vivre de votre plume ?*

Après le succès de *Boule de suif*, j'abandonne mon poste au ministère et je deviens journaliste. Je publie de nombreuses chroniques dans les journaux de l'époque, *Le Gaulois*, *Le Figaro* et *Gil Blas*. Je continue également d'écrire et, en dix ans, je publie six romans (*Une vie*, 1883 ; *Bel-Ami*, 1885 ; *Pierre et Jean*, 1888), quinze recueils de contes et nouvelles (*La Maison Tellier*, 1881 ; *Contes de la Bécasse*, 1883 ; *Toine*, 1885).

⏭ *D'où vient votre goût pour la littérature fantastique ?*

Ma fascination pour le fantastique remonte à l'été de mes seize ans. Il m'arrive alors parfois de secourir les baigneurs imprudents et un jour, j'aide le poète anglais Swinburne à sortir de l'eau. À la suite de cet épisode, il m'offre un macabre fétiche qui trône longtemps au-dessus de mon lit : une main d'écorché. C'est d'ailleurs le titre du premier conte fantastique que je publie en 1875, bientôt suivi de la nouvelle *Sur l'eau*. Je puise mon inspiration dans mes propres angoisses. Contrairement à d'autres auteurs, je n'ai pas besoin de décors mystérieux et surnaturels. Chez moi, le fantastique s'inscrit dans la réalité et n'en est que plus inquiétant. Le basculement dans la folie n'est jamais loin comme en témoignent *Lui ?*, *Lettre d'un fou* et *Le Horla*.

⏭ *Que répondez-vous à ceux qui vous reprochent d'avoir fait du* Horla *le journal de votre propre folie ?*

Il est vrai que depuis des années, je souffre de différents maux : migraines, insomnies et anxiété. Si certains s'amusent à dire que mon talent pour l'étrange et le surnaturel me viendrait de mon fragile équilibre nerveux, de mes hallucinations et des malaises liés à ma maladie, qu'ils se rassurent ! Je n'ai pas encore moi-même sombré dans la folie. Le jour où ce sera le cas, je cesserai d'écrire...

Contexte historique et culturel

Les débuts de la IIIe République

Maupassant publie *Le Horla* en 1887 sous la IIIe République (1870-1940). Les débuts du régime sont incertains. L'Assemblée élue en 1871 est composée d'une majorité de députés royalistes. Craignant une restauration de la monarchie, le peuple de Paris se révolte lors de la Commune, que l'Assemblée fait réprimer dans le sang (printemps 1871).

Dans les années qui suivent, les républicains emportent les élections et rétablissent la liberté de la presse et la liberté de réunion. En 1881-1882, Jules Ferry est ministre de l'Instruction publique et fait voter les lois scolaires: gratuité de l'école primaire, obligation scolaire de six à treize ans et laïcité de l'enseignement public.

Les grandes découvertes et les avancées de la science

La seconde partie du XIXe siècle est une période de grandes innovations techniques. L'électricité est utilisée par les industries dès 1870, le téléphone apparaît (1876), les premières automobiles roulent (1885).

Les découvertes scientifiques se multiplient: le chimiste et physicien Pasteur découvre le vaccin contre la rage en 1885, le couple Curie découvre la radioactivité en 1898. De son côté, Charcot, arrivé à l'hôpital de la Salpêtrière en 1862, étudie les maladies nerveuses. Il observe les comportements des patients sujets à l'hystérie et réhabilite l'hypnose comme traitement de certaines pathologies. Maupassant et Zola assistent à ses démonstrations publiques (voir l'image reproduite au verso de la couverture, en fin d'ouvrage).

L'esthétique fantastique

Tout au long du XIXe siècle, de nombreux auteurs européens, comme Hoffmann, Gautier, Maupassant, Gogol ou Poe, ont composé des récits fantastiques. Ils racontent les parcours angoissants de personnages qui doivent faire face à l'irruption de phénomènes surnaturels. Les écrivains explorent ainsi les frontières mal établies entre le rationnel et la folie, le rêve et la réalité, le présent et le passé. La peur et le doute s'installent dans l'esprit du lecteur, qui, comme les personnages du récit, hésite toujours entre l'explication logique et l'explication surnaturelle.

Dans ses nouvelles, Maupassant s'attache souvent à étudier un phénomène fantastique qui semble venir de l'intériorité des personnages. Il ne s'agit plus de mettre en scène les méfaits des revenants ou les séductions des vampires mais de montrer des phénomènes d'ordre psychologique que nous n'avons pas les moyens d'expliquer.

L'impressionnisme

Maupassant est contemporain des peintres dits « impressionnistes » : Monet (1840-1926), Sisley (1839-1899) ou Pissaro (1830-1903). C'est le tableau de Monet, *Impression, Soleil levant*, exposé en 1874, qui donne son nom à ce mouvement pictural. Modulations des paysages et des monuments selon les heures de la journée, jeux de lumière, sensations données par la nature sont au cœur des toiles impressionnistes. La Normandie, et plus particulièrement Rouen, deviennent les lieux emblématiques de cette peinture du fugitif.

Repères chronologiques

1848	**Début de la IIe République.**
	Proclamation du suffrage universel.
	Abolition de l'esclavage.
1850	Naissance de Maupassant.
1851	**Coup d'État de Louis Napoléon Bonaparte.**
1852	**Début du Second Empire.**
1857	Flaubert, *Madame Bovary* (roman).
1858	Traduction des *Aventures d'Arthur Gordon Pym* de Poe par Baudelaire (roman).
1869	Renoir, *La Grenouillère* (peinture).
1870	**Guerre franco-prussienne.**
	Début de la IIIe République.
1871	**Répression sanglante de la Commune.**
1874	Exposition d'*Impression, Soleil levant* de Monet (peinture).
1875	*La Main d'écorché* (nouvelle).
1878	Edison invente la lampe à incandescence.
1880	Mort de Flaubert.
1882	**Lois de Ferry sur l'enseignement primaire.**
	Cours de psychiatrie de Charcot à la Salpêtrière.
	Wagner, *Parsifal* (opéra).
1885	Découverte par Pasteur du vaccin contre la rage.
	Maupassant, *Bel-Ami* (roman).
1886	Villiers de L'Isle-Adam, *L'Ève future* (roman).
1887	**Carnot, président de la République.**
	Maupassant, *Le Horla* (nouvelle) et *Mont-Oriol* (roman).
	Bergh, *Une séance d'hypnose* (peinture).
1889	Exposition universelle de Paris (tour Eiffel).
1891	Wilde, *Le Portrait de Dorian Gray* (roman).
1893	Mort de Maupassant.

Les grands thèmes de l'œuvre

La peur

La peur au jour le jour

Le personnage principal d'un récit fantastique est souvent confronté à des phénomènes inexplicables qui le déstabilisent profondément. Le narrateur du *Horla* raconte dans son journal intime les faits troublants qui surviennent dans sa vie et donne ainsi à l'ensemble de la nouvelle une atmosphère angoissante.

Au fil des pages, le lecteur entre dans l'intimité du narrateur. Ce jeune homme, qui, au début de la nouvelle, semble apprécier la solitude de sa maison familiale en Normandie, est bientôt effrayé par le monde qui l'entoure. Il se croit suivi et s'enferme à double tour dans sa chambre. Dans son journal, il livre sur le vif ses impressions fugitives et décrit l'évolution de sa peur. Son « inquiétude » du 25 mai se transforme bientôt en « épouvante » lorsqu'il constate que l'eau de sa carafe a disparu (5 juillet) ou lorsqu'il croit distinguer les contours du Horla dans son miroir (19 août). Seules ses excursions, notamment à Paris, lui laissent le temps de prendre du recul et d'admettre que son « affolement touch[e] à la démence » (p. 28).

La forme du journal intime permet au lecteur d'assister à la montée de la tension dramatique sur une période resserrée de quatre mois. Maupassant ménage des accélérations et des ralentissements (pauses d'un mois lors du voyage au mont Saint-Michel, de 18 jours lors de l'escapade à Paris). Il faut, par exemple, attendre deux mois avant la première manifestation d'origine surnaturelle (épisode de la carafe vide, p. 26). Cette alternance de moments d'attente et de crises est propice à la montée de l'angoisse. Le suspens est maintenu jusqu'à la dernière ligne du journal où les interrogations du lecteur restent sans réponse : le narrateur sombre-t-il définitivement dans la folie au point de ne plus pouvoir écrire ? Se suicide-t-il ? Le Horla est-il réellement mort ?

Les origines de la peur

Le narrateur est d'abord victime d'une peur diffuse, sans cause apparente, qui s'invite de jour (épisode de la rose cueillie par une main invisible, p. 41) comme de nuit (il redoute de sombrer dans le sommeil, p. 12), alors qu'il est éveillé (il se promène le long de l'eau quand tout à coup une force invisible l'oblige à rebrousser chemin, p. 43) ou qu'il rêve (son sommeil est troublé chaque nuit par d'atroces cauchemars, p. 25). Même une simple promenade en forêt, dans un lieu pourtant familier, peut tout à coup faire naître « un frisson d'angoisse » (p. 13).

Pour déclencher la peur, Maupassant n'utilise pas les motifs que l'on trouve traditionnellement dans les récits fantastiques. Point de cimetière ou de château en ruine, de visions sensationnelles ou de morts étranges. Le cadre réaliste d'une demeure normande permet d'inscrire la peur dans la vie quotidienne. D'ailleurs, lorsqu'on relève les manifestations du phénomène dans la nouvelle, on constate qu'elles ne sont pas terrifiantes : il ne s'agit que d'un peu d'eau volatilisée, d'une rose cueillie, de pages tournées et d'un reflet provisoirement disparu.

Maupassant ne se contente pas de faire naître la peur d'un rien. Il transforme ce rien en peur. Il sait que ce qui nous inquiète le plus est souvent ce qu'on ne voit pas. C'est pourquoi le Horla est une créature invisible, intangible et insaisissable.

Les manifestations de la peur

Les crises d'angoisse du narrateur affectent son corps et son esprit. Le journal tenu au jour le jour permet une étude des effets de la peur sur l'organisme, le narrateur y consignant tous ses symptômes physiques : tremblements, accélération du pouls, prostration au moment d'aller se coucher. Le sentiment de la peur s'insinue si profondément dans son corps qu'il se transforme en sensation : « j'ai encore froid jusque dans les ongles... j'ai encore peur jusque dans les moelles » (p. 41).

L'angoisse trouble le sommeil du narrateur. Il fait des cauchemars dans lesquels il se voit aux prises avec un être qui l'étrangle ou qui puise sa vie dans sa bouche. Ces rêves morbides, qui expriment une terreur obsessionnelle, annoncent la fin tragique de la nouvelle : le narrateur imagine sa propre mort avec une violence extrême (p. 26). Cette peur de la mort tourne à l'obsession au point que le rêve rejoint bientôt la réalité : voulant prendre le dessus sur l'être qui le torture, le narrateur surmonte sa peur en le prenant au piège dans sa chambre puis met le feu à la maison. Il est trop tard lorsqu'il comprend que ses domestiques étaient à l'intérieur. La peur le fait basculer dans une folie meurtrière.

La peur du narrateur se ressent même dans la manière dont il rédige son journal. Lors de la première journée, sa sérénité se traduit par des phrases amples, ponctuées d'exclamations enthousiastes: « Quelle journée admirable ! » (p. 9). Puis, dès les premiers symptômes du mal inconnu du narrateur, des questions sans réponses font leur apparition. « J'ai peur... de quoi ?... » (p. 12). Leur fréquence s'intensifie et se double de suspensions exprimant le doute. Le rythme s'accélère, les liens logiques sont gommés. Le narrateur multiplie les tirets pour se corriger « – puis un rêve – non – un cauchemar m'étreint » et pour marquer des ruptures violentes et angoissantes: « je veux crier, – je ne peux pas » (p. 12). Il répète les verbes de perception avec une certaine frénésie comme pour se convaincre lui-même de la réalité des phénomènes qui se déroulent sous ses yeux: « J'ai vu... j'ai vu... j'ai vu !... » (p. 41). Tous ces procédés d'écriture reflètent au plus près les errances angoissées du narrateur, qui sombre peu à peu dans la folie.

La figure du double

Le Horla, double du narrateur

La nouvelle peut être lue comme une histoire fantastique: la maison du narrateur est hantée par une créature invisible qui le vampirise en absorbant son énergie vitale et qui le soumet à sa volonté. Le Horla apparaît donc, dans un premier temps, comme une créature étrange et étrangère, un « être invisible » (p. 28), échappant à toute perception humaine. Le narrateur lui attribue une origine lointaine, en imaginant que c'est le trois-mâts brésilien qui l'a fait venir jusqu'à lui (p. 10). En lisant l'ouvrage d'Hermann Herestauss et en découvrant que le nom du Horla n'y figure pas, il va même jusqu'à supposer qu'il s'agit d'un « être nouveau », venu d'une autre planète (p. 50). Enfin, le nom du Horla indique bien l'étrangeté de la créature puisque ce terme n'appartient même pas à notre langue.

Pourtant, le Horla ressemble au narrateur, comme si ce dernier l'avait créé à son image. Ils partagent les mêmes goûts : le narrateur aime les roses de son jardin, le Horla les cueille (p. 41). Ils ont les mêmes activités : lorsque le narrateur se plonge dans un livre, il constate que les pages sont tournées par la créature, assise à sa place (p. 47).

Les relations qui unissent le narrateur et le Horla sont elles-mêmes doubles, c'est-à-dire ambivalentes. En effet, la créature inspire au personnage autant de fascination que de répulsion. Dans toute la nouvelle, le narrateur manifeste son goût pour l'étrange : lors de sa conversation avec le moine au mont Saint-Michel (p. 15) et lors de la séance d'hypnose du docteur Parent (p. 30). Il considère donc dans un premier temps le Horla comme une créature parfaite, toute-puissante et va jusqu'à la qualifier de « Seigneur nouveau » (p. 49). Puis, au fil des jours, le Horla lui inspire de la répulsion. Il le perçoit comme un parasite dominateur venu le réduire en esclavage (p. 49). Le péril de mort ou de folie justifie l'horreur qu'il éprouve et son désir de le tuer. En ce sens, une nouvelle relation duelle s'établit entre le narrateur et le Horla : le prédateur et sa proie (p. 49), la victime et son « bourreau » (p. 12).

Le dédoublement intérieur du narrateur

Le nom du Horla a pu être forgé à l'aide de la préposition « hors » et de l'adverbe « là ». La réunion de ces deux termes indiquerait les oppositions qui caractérisent la créature : elle est à la fois extérieure au narrateur tout en étant une création intérieure de son esprit tourmenté, elle est omniprésente tout en étant absente. Le Horla ne serait pas une sorte de vampire mais une manifestation de la folie du narrateur. La nouvelle pourrait alors être lue comme le journal d'un fou.

En écrivant son journal intime, le narrateur consignerait donc son mal-être, s'adressant à lui-même. Parfois, il laisse d'ailleurs entendre ses débats intérieurs comme si deux voix se mêlaient dans son esprit : « On a bu – j'ai bu – toute l'eau » (p. 27). De même, lorsqu'il emploie le pronom personnel « nous », est-ce parce qu'il se considère comme un être double ? S'ajoutent à ces troubles des comportements répétitifs trahissant obsessions et paranoïa (le narrateur s'enferme à clef chaque soir), des incohérences de dates (deux entrées pour la journée du 19 août) et d'actions (il ne sait pourquoi il salue le trois-mâts, pourquoi il se met à tourner sur lui-même dans la forêt de Roumare, p. 13).

Le narrateur semble malade, étranger à lui-même. Sa maladie mentale pourrait expliquer la scène finale dans laquelle il incendie sa maison, n'ayant nulle conscience des domestiques qui y sont enfermés. En tout cas, elle montre bien qu'il est au bord de l'abîme : si le narrateur veut se débarrasser du Horla, est-ce que ce n'est pas lui qu'il condamne ? Le journal commence le 8 mai par la venue du Horla et finit le 10 septembre par sa disparition supposée. En dehors de la créature, le narrateur n'a donc pas de réelle existence. Si le sort des doubles est indissociable, la mort de l'un entraînera-t-elle la mort de l'autre ?

Fenêtres sur...

Des ouvrages à lire

Des récits fantastiques

• Prosper Mérimée, *La Vénus d'Ille* [1837], Belin-Gallimard, « Classico », 2017.
Dans le Roussillon, M. Alphonse est sur le point de se marier. Le temps d'un jeu, il glisse l'anneau destiné à son épouse au doigt d'une étrange statue de Vénus qui va faire basculer sa vie... Le déroulement de l'intrigue et son étrange dénouement font de cette nouvelle un modèle du genre fantastique.

• **Guy de Maupassant, *La Nuit et autres nouvelles fantastiques* [1875-1887], Mille et une nuits, « La petite collection », 2000.**
La Main d'écorché, Sur l'eau, Apparitions, Sur les chats, L'Auberge *et* La Nuit*: autant de récits angoissants qui vous permettront d'explorer de nouveaux motifs fantastiques.*

• Bram Stocker, *Dracula* [1897], GF-Flammarion, « Étonnants classiques », 2006.
Avec ce roman, Bram Stocker crée la figure littéraire de Dracula. Il raconte les aventures d'un jeune notaire anglais, Jonathan Harker, envoyé en Transylvanie pour rencontrer un nouveau client: le comte Dracula. L'homme qu'il découvre est une créature démoniaque: un vampire se nourrissant du sang de ses victimes...

• **Henry James, *Le Tour d'écrou* [1898], GF-Flammarion, « Étonnants classiques », 2006.**
Dans une propriété isolée, une gouvernante est chargée de veiller sur deux orphelins. Au fil des jours, le comportement des enfants est de plus en plus étrange. La gouvernante elle-même est en proie à de nombreuses hallucinations. Ce court récit s'est imposé comme un chef-d'œuvre de la littérature fantastique.

Des récits sur la folie

• **E.T.A Hoffmann, *L'Homme au sable* [1817], Gallimard, « La bibliothèque Gallimard », 2003.**
Quand les terreurs enfantines de Nathanaël refont surface dans sa vie d'adulte sous les traits d'un mystérieux vendeur de baromètres, c'est sa raison qui vacille. L'horrible marchand de sable responsable de la mort de son père a-t-il réellement existé ou est-il le fruit de son imagination maladive ?

• **Nicolas Gogol, *Le Journal d'un fou* [1835], Librio, 2004.**
Pour échapper à sa misérable condition et rêver sa vie, un modeste fonctionnaire, amoureux de la fille de son directeur, se réfugie dans la folie. Sous la forme d'un journal intime, l'auteur retrace les divagations d'un anti-héros tantôt comique, tantôt inquiétant.

• **Edgar Allan Poe, *Trois nouvelles extraordinaires* [1838-1843], traduit de l'anglais par Ch. Baudelaire, Belin-Gallimard, « Classico », 2009.**
Deux femmes sont mystérieusement assassinées rue Morgue. Au contact d'un étrange chat noir, un homme sombre dans la folie. Une morte amoureuse vient hanter l'esprit de son époux. À travers ces trois nouvelles extraordinaires, découvrez l'univers d'Edgar Allan Poe : angoissant, terrifiant, fascinant.

 Des films à voir

(Toutes les œuvres citées ci-dessous sont disponibles en DVD.)

Des films aux frontières du surnaturel ou de la folie

• ***Le Sixième Sens*, Night Shyamalan, couleur, 2000.**
Le petit garçon Cole Sear est hanté par un terrible secret. Son imaginaire est visité par des esprits menaçants. Trop jeune pour comprendre la raison de ces apparitions et traumatisé par ses pouvoirs paranormaux, Cole s'enferme dans une peur maladive jusqu'au jour où il rencontre un psychologue pour enfants interprété par Bruce Willis.

• ***Les Autres*, Alejandro Amenabar, couleur, 2001.**
La Seconde Guerre mondiale est terminée mais l'époux de Grace ne rentre pas du front. Seule dans une immense demeure victorienne de l'île de Jersey, elle élève ses enfants qui souffrent d'une étrange maladie: ils ne supportent pas la lumière du jour. Pour tous les occupants du domaine, une règle est vitale: la maison doit rester dans l'obscurité. Cet ordre simple sera pourtant enfreint. Dès lors, Grace, les enfants et tous ceux qui les entourent devront en supporter les terribles conséquences.

• ***Paranormal activity*, Oren Pely, couleur, 2009.**
Un jeune couple croit que sa maison est hantée par une présence démoniaque et décide de filmer l'invisible et de tenir le journal de ses manifestations. La peinture de la vie quotidienne et la structure répétitive de ce témoignage inscrivent le surnaturel dans la réalité. Frissons garantis.

 Des œuvres d'art à découvrir

(Toutes les œuvres citées ci-dessous peuvent être vues sur Internet.)

• **Gustave Courbet, *Autoportrait de l'artiste* dit *Le Désespéré*, huile sur toile, 1843.**
Collection particulière.

• **Edvard Munch, *Le Cri*, huile, tempera et pastel, 1893.**
Galerie nationale d'Oslo, Norvège.

Des disques à écouter

• Guy de Maupassant, *Le Horla*, texte lu par Michael Lonsdale, Audiolib, « Chefs-d'œuvre à écouter », 2009.

• Guy de Maupassant, *Nouvelles cruelles (Pierrot, La Rempailleuse, La Mère sauvage, Une famille)*, nouvelles lues par Robin Renucci, Gallimard, « Écoutez lire », 2004.

Des sites Internet à consulter

Maupassant par les textes

• http://maupassant.free.fr
Un site qui présente toutes les œuvres de l'auteur, sa biographie, ses traductions et des analyses littéraires.

Une adaptation du *Horla* en bande dessinée

• http://horlabd.canalblog.com
Pascal Hennion propose de suivre les étapes de son adaptation de la première version du Horla *de 1886, qui est en cours de réalisation. Morceaux choisis : la promenade dans la forêt de Roumare, le cauchemar et la séance d'hypnose.*

Une adaptation cinématographique du *Horla*

• http://www.vimeo.com/9333353
Adaptation de la première version du Horla, *ce court-métrage de Boris Labourguigne et Bastien Raynaud se présente sous la forme d'un journal intime filmé. Le narrateur retrace les grandes étapes de sa contamination par un mal mystérieux.*

Notes

Notes

Notes

Notes

Notes

Notes

Notes

Notes

Notes

Notes

Dans la même collection

CLASSICOCOLLÈGE

14-18 Lettres d'écrivains (anthologie) (1)
Contes (Andersen, Aulnoy, Grimm, Perrault) (93)
Douze nouvelles contemporaines (anthologie) (119)
Fabliaux (94)
La Farce de maître Pathelin (75)
Gilgamesh (17)
Histoires de vampires (33)
La Poésie engagée (anthologie) (31)
La Poésie lyrique (anthologie) (49)
Le Roman de Renart (50)
Les textes fondateurs (anthologie) (123)
Neuf nouvelles réalistes (anthologie) (125)
La Vénus d'Ille et autres nouvelles fantastiques (Mérimée, Gautier, Maupassant) (136)
Jean Anouilh – *Le Bal des voleurs* (78)
Guillaume Apollinaire – *Calligrammes* (2)
Honoré de Balzac – *Le Colonel Chabert* (57)
René Barjavel – *Le Voyageur imprudent* (141)
Béroul – *Tristan et Iseut* (61)
Albert Camus – *Le Malentendu* (114)
Lewis Carroll – *Alice au pays des merveilles* (53)
Driss Chraïbi – *La Civilisation, ma Mère !...* (79)
Chrétien de Troyes – *Lancelot ou le Chevalier de la charrette* (109)
Chrétien de Troyes – *Yvain ou le Chevalier au lion* (3)
Jean Cocteau – *Antigone* (96)
Albert Cohen – *Le Livre de ma mère* (59)
Corneille – *Le Cid* (41)
Didier Daeninckx – *Meurtres pour mémoire* (4)
Dai Sijie – *Balzac et la Petite Tailleuse chinoise* (116)
Annie Ernaux – *La Place* (82)
Georges Feydeau – *Dormez, je le veux !* (76)
Gustave Flaubert – *Un cœur simple* (77)
Romain Gary – *La Vie devant soi* (113)
Jean Giraudoux – *La guerre de Troie n'aura pas lieu* (127)
William Golding – *Sa Majesté des Mouches* (5)
Jacob et Wilhelm Grimm – *Contes* (73)

Homère – *L'Odyssée* (14)
Victor Hugo – *Claude Gueux* (6)
Victor Hugo – *Les Misérables* (110)
Joseph Kessel – *Le Lion* (38)
Rudyard Kipling – *Le Livre de la Jungle* (133)
Jean de La Fontaine – *Fables* (74)
J.M.G. Le Clézio – *Mondo et trois autres histoires* (34)
Mme Leprince de Beaumont – *La Belle et la Bête* (140)
Jack London – *L'Appel de la forêt* (30)
Guy de Maupassant – *Histoire vraie et autres nouvelles* (7)
Guy de Maupassant – *Le Horla* (54)
Guy de Maupassant – *Nouvelles réalistes* (97)
Prosper Mérimée – *Mateo Falcone* et *La Vénus d'Ille* (8)
Marivaux – *L'Île des esclaves* (139)
Molière – *L'Avare* (51)
Molière – *Le Bourgeois gentilhomme* (62)
Molière – *Les Fourberies de Scapin* (9)
Molière – *George Dandin* (115)
Molière – *Le Malade imaginaire* (42)
Molière – *Le Médecin malgré lui* (13)
Molière – *Le Médecin volant et L'Amour médecin* (52)
Jean Molla – *Sobibor* (32)
George Orwell – *La Ferme des animaux* (130)
Ovide – *Les Métamorphoses* (37)
Charles Perrault – *Contes* (15)
Edgar Allan Poe – *Trois nouvelles extraordinaires* (16)
Jules Romains – *Knock ou le Triomphe de la médecine* (10)
Edmond Rostand – *Cyrano de Bergerac* (58)
Antoine de Saint-Exupéry – *Lettre à un otage* (11)
William Shakespeare – *Roméo et Juliette* (70)
Sophocle – *Antigone* (81)
John Steinbeck – *Des souris et des hommes* (100)
Robert Louis Stevenson – *L'Île au Trésor* (95)
Jean Tardieu – *Quatre courtes pièces* (63)
Michel Tournier – *Vendredi ou la Vie sauvage* (69)
Fred Uhlman – *L'Ami retrouvé* (80)
Paul Verlaine – *Romances sans paroles* (12)
Anne Wiazemsky – *Mon enfant de Berlin* (98)
Émile Zola – *Au Bonheur des Dames* (128)

CLASSICOLYCÉE

Des poèmes et des rêves (anthologie) (105)
Guillaume Apollinaire – *Alcools* (25)
Honoré de Balzac – *La Fille aux yeux d'or* (120)
Honoré de Balzac – *Le Colonel Chabert* (131)
Honoré de Balzac – *Le Père Goriot* (99)
Charles Baudelaire – *Les Fleurs du mal* (21)
Charles Baudelaire – *Le Spleen de Paris* (87)
Beaumarchais – *Le Barbier de Séville* (138)
Beaumarchais – *Le Mariage de Figaro* (65)
Ray Bradbury – *Fahrenheit 451* (66)
Albert Camus – *La Peste* (90)
Emmanuel Carrère – *L'Adversaire* (40)
Corneille – *Le Cid* (129)
Corneille – *Médée* (84)
Dai Sijie – *Balzac et la Petite Tailleuse chinoise* (28)
Robert Desnos – *Corps et Biens* (132)
Denis Diderot – *Supplément au Voyage de Bougainville* (56)
Alexandre Dumas – *Pauline* (121)
Marguerite Duras – *Le Ravissement de Lol V. Stein* (134)
Marguerite Duras – *Un barrage contre le Pacifique* (67)
Paul Éluard – *Capitale de la douleur* (91)
Annie Ernaux – *La Place* (35)
Élisabeth Filhol – *La Centrale* (112)
Francis Scott Fitzgerald – *Gatsby le magnifique* (104)
Gustave Flaubert – *Madame Bovary* (89)
Romain Gary – *La Vie devant soi* (29)
Jean Genet – *Les Bonnes* (45)
Jean Giono – *Un roi sans divertissement* (118)
J.-Cl. Grumberg, Ph. Minyana, N. Renaude – *Trois pièces contemporaines* (24)
Victor Hugo – *Le Dernier Jour d'un condamné* (44)
Victor Hugo – *Anthologie poétique* (124)
Victor Hugo – *Ruy Blas* (19)
Eugène Ionesco – *La Cantatrice chauve* (20)
Eugène Ionesco – *Le roi se meurt* (43)
Laclos – *Les Liaisons dangereuses* (88)
Mme de Lafayette – *La Princesse de Clèves* (71)
Jean de La Fontaine – *Fables* (126)
Marivaux – *L'Île des esclaves* (36)

Marivaux – *Le Jeu de l'amour et du hasard* (55)
Guy de Maupassant – *Bel-Ami* (27)
Guy de Maupassant – *Pierre et Jean* (64)
Molière – *Dom Juan* (26)
Molière – *L'École des femmes* (102)
Molière – *Le Misanthrope* (122)
Molière – *Le Tartuffe* (48)
Montesquieu – *Lettres persanes* (103)
Alfred de Musset – *Lorenzaccio* (111)
Alfred de Musset – *On ne badine pas avec l'amour* (86)
George Orwell – *La Ferme des animaux* (106)
Pierre Péju – *La Petite Chartreuse* (92)
Charles Perrault – *Contes* (137)
Francis Ponge – *Le Parti pris des choses* (72)
Abbé Prévost – *Manon Lescaut* (23)
Racine – *Andromaque* (22)
Racine – *Bérénice* (60)
Racine – *Britannicus* (108)
Racine – *Phèdre* (39)
Arthur Rimbaud – *Œuvres poétiques* (68)
Paul Verlaine – *Poèmes saturniens* et *Fêtes galantes* (101)
Voltaire – *Candide* (18)
Voltaire – *L'Ingénu* (85)
Voltaire – Micromégas (117)
Voltaire – *Traité sur la tolérance* (135)
Voltaire – *Zadig* (47)
Émile Zola – *La Fortune des Rougon* (46)
Émile Zola – *Nouvelles naturalistes* (83)
Émile Zola – *Thérèse Raquin* (107)

Pour obtenir plus d'informations, bénéficier d'offres spéciales enseignants ou nous communiquer vos attentes, renseignez-vous sur **www.collection-classico.com** ou envoyez un courriel à **contact.classico@editions-belin.fr**

Cet ouvrage a été composé par Palimpseste à Paris.

Imprimé en Espagne par Novoprint (Barcelone)
Dépôt légal : février 2011 – N° d'édition : 70115642-09/août 2018